KB082251

# 임무상의 그림산책 2

임무상의 그림산책 2

**발 행** | 2024년 05월 08일
**저 자** | 임무상
**편 집** | 임병철
**펴낸이** | 한건희
**펴낸곳** | 주식회사 부크크
**출판사등록** | 2014.07.15.(제2014-16호)
**주 소** | 서울특별시 금천구 가산디지털1로 119 SK트윈타워 A동 305호
**전 화** | 1670-8316
**이메일** | info@bookk.co.kr

ISBN | 979-11-410-8261-1

www.bookk.co.kr

# 임무상의 그림산책 2

돌리네습지(濕地), 153×196cm, 천,먹,천연혼합채색, 2023년 作

# 추천글

■ 임무상 화백의 그림

임무상 화백을 만난 지도 벌써 수십 년이 흘렀습니다. 그동안 간간이 들려오는 작업의 근황과 아드님의 따뜻한 효행은 그의 작품에 온기를 더하는 것 같습니다.

그의 그림은 전통적인 동양화 기법을 이용한 작품이라기보다 동양화이면서 서양화 방법을 사용한 새로운 한국화 작품이라고 볼 수 있습니다. 서양화 방법을 다시 시도한다 해도 서양화는 아닙니다. 동과 서의 중간 지점에서 동양화를 말하면서 서양화까지 포괄하는 아주 폭넓은 회화 세계를 펼치고 있습니다. 그리고 동양적인 수직과 서양의 수평이 회화의 정점을 이루며 신과 인간의 교점을 작품으로 표현하고 있습니다.

그가 즐겨 그리는 금강산도는 미래에 우리가 닿아야 할 현재의 세계이며, 미래에 우리가 누릴 주락이며 천국의 세계입니다. 그가 한 획 한 획 긋는 선의 비백맛은 일품이라 우리에게 새로운 신선감으로 접근하게 합니다.

그가 다루는 주제 또한 현실에 머물러 있으면서 미래를 앞당겨 현실화하고 있습니다. 그는 루오가 그림을 통해 자기를 구원하며 세계를 구원한 것 같이 그림으로 승화되어, 훗날 누구도 범할 수 없는 금강산 그림의 새로운 세계를 우리에게 보여 줄 것입니다.

2024년 5월

화가·철학박사 서상환

# 작가서문

■ 임무상의 그림산책

그림일기(日記)를 수십년 쓰다 보니 문득 내 그림에 대한 해설(解說)을 붙여 책으로 엮어 보는 것이 어떨까 하는 생각이 들었다. 실은 2021년 10월 15일부터 페이스북, 밴드(band), 카카오 스토리에 주해(註解)를 단 그림을 올리기 시작했다. 초기(初期) 작품에서 점차 변화되어 가는 과정들의 작품들을 대표작(代表作) 중심으로 구성하였으며, 가끔은 그림과 관련있는 글씨나 사진들도 첨부(添附)했다는 점을 밝혀둔다. 작품 해설은 주로 작화(作畵)의 동기(動機)나 작업과정(作業過程) 그리고 방법과 자료 응용, 운필(運筆) 등에 대한 담론을 디테일하게 접근하려고 노력했다.

그러나 순전히 내 작업에 대한 소개인 만큼 과연 독자들은 어떤 반응을 보일까, 처음에는 궁금하기도 하고 망설여지기도 했지만 의외(意外)로 많은 친구들이 내 SNS에 방문해 주어 댓글도 달아 주고, 따뜻한 격려(激慮)의 말씀과 함께 열렬한 응원을 보내주셨다. 축복(祝福)으로 알고 고마운 마음으로 즐겁게 글과 그림을 올리는데 게을리하지 않았다. 작년 8월 100회까지의 작업들을 책(冊)으로 엮어 "임무상의 그림산책 1권"을 출간하였고, 이후 기록한 100회의 작업들로 이번에 "임무상의 그림산책 2권"을 엮기로 했다.

이 책이 화가 개인의 단순한 작가노트 모음집이 아니라, 어려운 시대를 살아온 우리 모두에게 위안(慰安)이 되고 공유(共有)되어, 시대의 화두(話頭)인 "친환경(親環境)", "더불어 살기" 슬로건에 조금이라도 일조(一助)하게 되기를 바라는 마음이다.

2024년 5월

한국화가 임무상

# CONTENT

# 금강산(金剛山)Series I

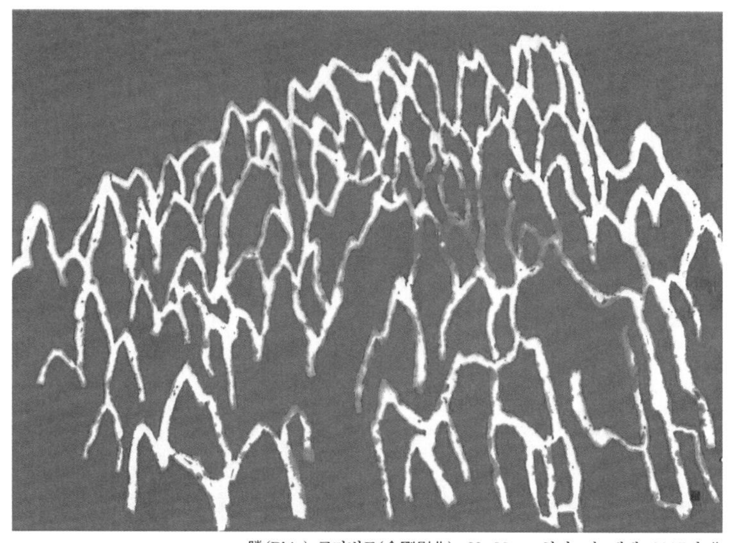

隣(Rhin)-금강별곡(金剛別曲), 69×88cm, 한지, 먹, 채색, 2007년 作

■ 隣(Rhin)-금강산(金剛山)

내 그림의 테마가 되었던 린(隣)-곡선공동체미학(曲線共同體美學)은 금강산이라는 대명제를 만나 일대 변혁기(變革期)를 맞는다. 나의 조형언어(造形言語)인 곡선화법(曲線畵法)으로 금강산 작업에 접목(接木)하여 새로운 산(山)의 형상을 발현(發現)함으로써 나의 회화에 새로운 지평(地平)을 열게 된 것이다. 곡선의 심미감(審美感)은 금강산의 진면목에 한 걸음 다가설 수 있었고, 산세(山勢)의 새로운 운필(運筆)을 표출할 수 있었다고 감히 말하고 싶다.

돌이켜 보면 2005년 2월인가, 몹시도 추운 겨울날 오매불망(寤寐不忘) 그리던 금강산(金剛山) 탐방(探訪)을 감행(敢行)했던 것은 큰 행운(幸運)이었다. 이번 기회를 놓치면 살아생전에 금강산 탐방은 기약할 수 없다는 생각이 들었고 그 예감(豫感)이 적중했을까? 그 후 얼마 되지 않아 남북교류는 단절(斷絶)되고 금강산 가는길은 막혀 오늘날까지 갈 수 없는 길이 되었다.

당시 3박4일 금강산에 머물며 스케치는 물론 금강산의 진수(眞髓)를 마음껏 체득(體得)하고 가슴 가득 담아왔다. 3년 동안 금강산 그림에 푹 빠져 열작(熱作)한 100여점의 작품들을 엄선(嚴選)해서 2008년 12월 초 조선일보미술관(朝鮮日報美術館)에서 금강산전(展)을 가졌는데 예상외(豫想外)로 큰 반향(反響)과 언론(言論)의 주목(注目)을 받았다. 어떤 이는 "대부분(大部分) 비슷비슷한 산수화풍(山水畵風)인 북한(北韓) 작가들은 금강산 그림을 실패(失敗)했는데, 곡선화법(曲線畵法)으로 풀어낸 새로운 금강산이 창출(創出)했다"고 극찬(極讚)까지 하였다.

조선일보미술관에 이어 이듬해 1월 4일까지 거의 한달 가까이 강남 밀알미술관에서 금강산초대전이 열렸는데 많은 격려와 성원이 있었으며 작품도 몇 점 팔려나가 나름대로 성과가 있었다.

① "新 金剛山 展" <가가갤러리 1주년 개관기념 기획초대전> 2009.12.2.~12.8
② "金剛山 展" <조선일보미술관> 2008.12,3~12,8, <밀알미술관> 2008.12,12~2009,1,4

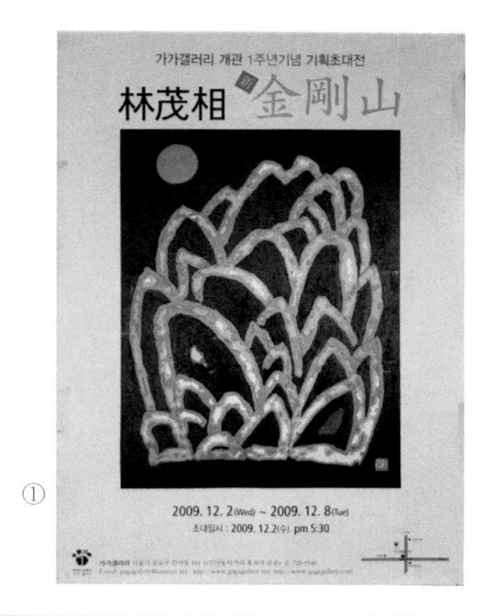


①

②

■ 금강산도(金剛山圖) 서문(序文)

금강산이야 천하(天下)의 명산(名山)이니 많은 이들이 금강(金剛)의 절경(絶景)을 찬미(讚美)하며 그 아름다움을 증언했지만, 나름대로 가슴에 담아온 금강산의 진면목을 보다 본질적(本質的)으로 접근하기 위해 새로운 화법(畵法)을 시도한 작업이 금강산도(金剛山圖)라 하겠다. 작업 과정에 있어서 린隣(Rhin) 즉 공동체정신(共同體精神)과 곡선미학(曲線美學)이라는 완만하고 부드러운 곡선(曲線)의 아름다움을 금강산이라는 대명제(大命題)에 과감히 접목(接木)함으로써 나름대로의 새로운 조형언어(造形言語)를 창출(創出)하게 된 것이다.

린(隣)은 원융(圓融)한 것이어서 모두가 하나됨을 의미(意味)하는 까닭에 우리다운 곡선의 아름다움을 재해석(再解析)하여 얻은 새로운 미학(美學)이라 할 수 있다. 이는 초가(草家)와 초가마을에 내재(內在)된 한국성(韓國性) 미감(美感)을 차용(借用)해 온 것인데, 생득적(生得的) 체험(體驗)에서 자연스럽게 얻어진 심미감(審美感)이라 여겨진다. 특히 천연채색(天然彩色)인 연분(硯粉/벼룻돌 가루), 토분(土粉/황토, 백토), 도자안료(陶瓷顔料) 등을 사용하여 수묵(水墨)의 유현미(幽玄美)와 어우러져 전통적(傳統的)인 빛깔을 빚어냄으로서 분명(分明)히 일반채색(一般彩色)과는 다르며 그 질감(質感) 또한 차별화(差別化)됨을 볼 수 있다.

요컨대 내 그림은 법고창신(法古創新)에 있다. 치즈, 버터 맛이 아닌 된장, 고추장 맛 나는 토속적인 신토불이(身土不二) 그림을 그리려는데 있다. 우리의 삶을 통한 시대성(時代性)과 역사성(歷史性)을 바탕으로 표출(表出)된 우리의 성정(性情)을 고스란히 담아내는 이 시대의 우리 그림을 그리려는데 그 목적이 있는 것이다. 나의 작업 금강산도(金剛山圖) 연작(連作)도 역시 다름아닌 것이다.

① 隣(Rhin)-금강산소묘(金剛素描), 27×24cm, 한지, 먹, 채색, 2009년 作
② 隣(Rhin)-만물상일우(萬物相一隅), 69×88cm, 한지, 먹, 채색, 2007년 作
③ 隣(Rhin)-금강산만물상(金剛山萬物相). 69×89cm, 한지, 먹, 채색, 2006년 作

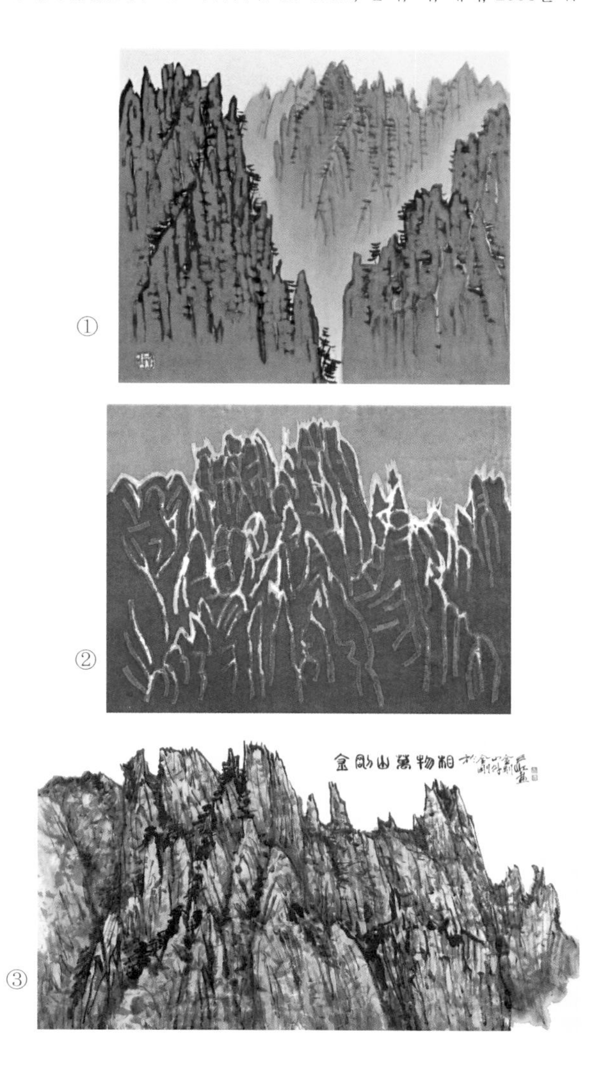

■ 隣(Rhin)-"구룡연-만물상을 화폭에 담고“
<금강산 스케치 기행 1>

금강산(金剛山) 사흘 기행(紀行), 금강산 산행(山行)이 시작되는 첫날이다. 옥류동계곡(玉流洞溪谷)과 구룡연(九龍淵)을 찾아가는 코스다. 설레는 마음으로 온정리(溫井里)에서 관광버스를 타고 외금강(外金剛) 초입(初入)에 들어서니 안타깝게도 금강산 미인송(美人松)이 많이 말라 죽어 방치되어 있었다. 자세히 살펴보니 재선충(材線蟲)으로 인한 것은 아니고, 관리(管理) 소홀(疏忽)로 토양이나 영양 고갈(枯渴)로 인하여 고사(枯死)한 것 같았다. 소나무 사랑하는 모임인 "솔바람" 회원의 일원(一員)으로서 몹시 마음이 아팠다. 예로부터 금강산 소나무가 미인송이라 일컬을 만큼 빼어나 붙여진 이름인데 허망(虛妄)하기 그지없다.

금강산이 자랑하는 4대 명찰(名刹) 중 하나인 신계사(神溪寺)는 복원이 한창이고, 그래도 대웅전(大雄殿)은 예불(禮佛)을 올릴 수 있을 만큼 어느 정도 복구되어 있었다. 웅대한 산세와 소나무 숲이 병풍처럼 둘러처져 경내(境內)의 풍광이 압권(壓卷)이다. 해인사(海仁寺)에서 파견(派遣)된 스님이 이 사찰(寺刹)의 주지(住持)스님이라고 하니 반갑기만 하다.

옥류동(玉流洞)과 구룡연(九龍淵)을 찾아가는 길은 엄청나게 깊고 수려(秀麗)하다 계곡을 사이에 두고 오른쪽으로 옥류봉 줄기가 길게 뻗어 내리고, 왼쪽으로는 새전봉의 웅대함이 파노라마처럼 펼쳐진다. 초입부터 금강(金剛)의 위용(威容)에 압도(壓倒)되어 기대와 흥분으로 가득찼다. 과연 금강이로구나! 절로 감탄(感歎)이 나왔다. 봉우리마다 기암괴석(奇岩怪石)으로 어우러진 산세(山勢)에 매료(魅了)되어 카메라에 담고 스케치하느라 혼자 뒤쳐져 외롭게 산행(山行)을 해야만 했다.

① 隣(Rhin)-외금강일우(外金剛一隅), 46×69cm, 한지, 먹, 채색, 2008년 作
② 隣(Rhin)-외금강소견(外金剛所見). 46×69cm, 한지, 먹, 채색, 2008년 作
③ 隣(Rhin)-외금강소견(外金剛所見), 46×69cm, 한지, 먹, 채색, 2007년 作

■ 隣(Rhin)-"구룡연-만물상을 화폭에 담고"
<금강산 스케치 기행 2>

금강문(金剛門)을 지나 얼마쯤 올랐을까! 옥류동(玉流洞) 계곡(溪谷) 중에 가장 아름다운 절경(絶景)이 그윽하게 펼쳐진다. 장엄(莊嚴)한 산세(山勢)들이 골짜기 양쪽으로 깊숙이 맞은편 준봉(俊峰)들과 절묘한 조화(調和)를 이루고 있는데 멀리 계곡을 가로지르는 멋진 곡선의 구름다리가 그림같이 놓여있다. 금강산 이름 만큼이나 계곡의 아취(雅趣)와 수려(秀麗)함이 단연 압권(壓卷)이다. 문득 이백(李白)의 시 "산중문답(山中問答)"이 떠오른다.

"문여하사서벽산 소이부답 심자한 도화유수묘연거 별유천지비인간 問余何事棲碧山 笑而不答心自閑 桃花流水杳然去 別有天地非人間" (산속에서 왜 사느냐고 물었더니 아무 말 없이 빙긋이 웃는다. 복숭아 꽃잎이 계곡 따라 아득히 흘러가는데 이곳이야말로 무릉도원이 아니겠는가)

옥류동 이름에 걸맞게 아름다운 비경(秘景)이 눈 앞에 펼쳐진 것이다. 이곳은 분명 선경(仙境)이었다.

다리를 건너 산길을 타고 오르니 구룡연(九龍淵)에서 흘러내리는 계곡물은 꽁꽁 얼어붙은 얼음 사이로 빚어나오는 연두빛 물색이 시리도록 맑고 청량(淸凉)하다. 연주담에 담은 물은 명경지수(明鏡止水) 그대로다. 아이젠이 없으면 오를 수 없는 눈 쌓인 산길인데도 오르내리는 등산객(登山客)들이 심심찮게 있어 외롭지는 않았으나, 우리 일행(一行)과 함께하지 못함이 아쉬울 따름이다. 아직도 겨울이 산자락에 머물고 있어 제법 쌀쌀한 칼바람이 귀전을 스치지만 두꺼운 어름장 아래로 맑게 흐르는 계곡의 물소리는 때 이른 봄을 알리는 듯 도란도란 속삭인다.

① 隣(Rhin)-금강별곡(金剛別曲), 69×78cm, 한지, 먹, 천연혼합채색, 2010년 作
② 隣(Rhin)-금강별곡(金剛別曲), 45×34.5cm, 한지, 먹, 천연혼합채색, 2010년 作
③ 隣(Rhin)-구룡연(九龍淵)가는길, 69×205cm, 한지, 먹, 채색, 2006년 作
④ 隣(Rhin)-구룡연(九龍淵)가는길/연주담, 46×69cm, 한지, 먹, 채색, 2008년 作
⑤ 隣(Rhin)-옥류동소견(玉流洞所見), 69×49cm, 한지, 먹, 채색, 2008년 作

①

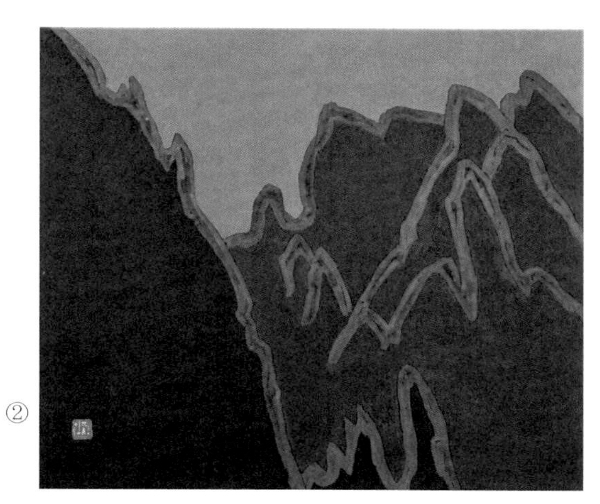
②

③
④
⑤

■ 隣(Rhin)-"구룡연-만물상을 화폭에 담고"
<금강산 스케치 기행 3>

두 시간은 족히 걸려서 목적지인 구룡폭(九龍瀑)에 도착하니 먼저 온 관광객(觀光客)들로 붐볐다. 황급히 구룡정(九龍亭)을 올라보니 맞은편 구룡폭은 아쉽게도 결빙(結氷)되어 거대한 흰 살을 들어내고 있었다. 엄청난 규모의 큰 폭포 앞에 넋을 잃고 입이 다물어지지 않았다. 구룡폭의 위용(威容)은 내가 지금까지 본 어떠한 폭포에도 비견(比肩)할 수 없을 만큼 위대(偉大)하였다. 금강의 격조(格調)에 걸맞는 참으로 장엄(壯嚴)한 비폭(飛瀑)일 뿐만 아니라 주변 산세(山勢)가 웅대하여 하늘이 빚어놓은 비경(秘景) 그대로였다. 다만 결빙으로 온 천지(天地)를 진동(震動)할 폭포의 굉음(轟音)을 들을 수 없어 유감(遺感)이었지만 폭포 하단 바위 위에 미륵불(彌勒佛)이라고 새겨놓은 것은 자연(自然)과 인간(人間)이 만난 조화로움이랄까? 매우 인상적(印象的)이었다. <미륵불(彌勒佛)은 해강(海岡) 김규진(金奎鎭)선생(1868~1933)의 글씨>

한동안 구룡폭에 매료되어 몇 점의 스케치를 하고 함께 한 우리 일행(一行)과 기념 촬영(撮影)도 하며 오랫동안 그 자리를 떠날 줄을 몰랐다. 기상(氣象) 악화(惡化)로 구룡폭포 상단(上端)에 이어지는 상팔담(上八潭)을 오르지 못하고 하산(下山)한 것은 두고두고 여한(餘恨)으로 남는다. 구룡정에서 상팔담 주변 산세를 하염없이 바라보며 아쉬움을 가슴 가득 담고 돌아와 현장에서 느낀 감회(感懷)를 바탕으로 운필運筆한 작품이다.

①번 작품인 "외금강구룡빙폭(外金剛九龍氷瀑)"은 곡선미학을 접목(接木)하여 천연혼합채색으로 작화(作畵)한 회심(會心)의 역작(力作)이다. <조선일보미술관, 밀알미술관 출품作>

① 隣(Rhin)-외금강구룡빙(폭外金剛九龍氷瀑), 247×123cm, 한지, 먹, 천연혼합채색, 2008년 作
② 隣(Rhin)-찬'구룡연가(讚'九龍淵歌), 98×180cm, 한지, 먹, 채색, 2006년 作
③ 隣(Rhin)-외금강구룡폭(外金剛九龍瀑), 44×34cm, 한지, 먹, 채색, 2006년 作
④ 隣(Rhin)-구룡연(九龍淵)가는길1, 69×88cm, 한지, 먹, 채색, 2006년 作
⑤ 隣(Rhin)-구룡폭원경(九龍瀑遠景), 70×47cm, 한지, 먹, 채색, 2006년 作

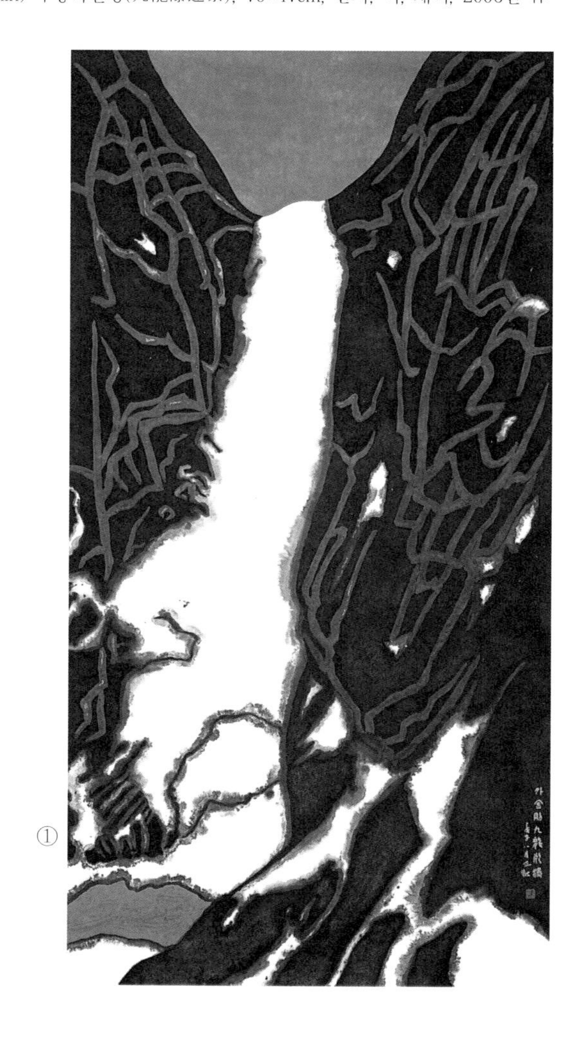
①

■ 隣(Rhin)-"구룡연-만물상을 화폭에 담고"
<금강산 스케치 기행 4>

금강산(金剛山)에 온지 3일째 되는 날, 그토록 보고 싶었던 만물상(萬物相)을 찾아가는 날이다. 어제 아침과 다름없이 6시에 기상(起床)하여 호텔 아래 공용 레스토랑에서 조반(朝飯)을 마치고 서둘러 버스에 올랐다. 옥류동(玉流洞)과 구룡연(九龍淵) 가는 코스보다 산세(山勢)가 더 험한 것을 알고 어디서 구해왔는지 황선구 선생이 아이젠을 건네주었고, 당신 지팡이까지 쾌히 건네주니 이 뜨거운 우의(友誼)에 대한 고마움을 어찌 갚을까!

산 중턱 주차장까지 오르는 길은 그야말로 굽이진 길의 연속이었다 자그만치 77굽이(원래 108굽이라고 함)나 되는 좁은 곡선(曲線) 도로가 장관(壯觀)이었다. 한국전쟁 때 작전 수행을 위해 북한군이 닦아놓은 길이라고 한다. 한하계를 따라 30여분 오르니 굽은 길은 끝이 나고 작은 주차장이 보이는 그곳에서부터 만물상까지는 산길을 따라 걸어서 등정(登程)해야만 했다. 만물상 가는 입구에는 만상정이란 큰 봉우리가 위풍당당하게 버티고서 위용(威容)을 자랑했다. 오르는 길은 가파르고 옹달진 곳에는 빙판(氷板)길이라 곤혹스럽기는 했지만 양지바른 곳에는 눈이 녹아 예상외로 산을 오르는데 큰 어려움은 없었다.

초입(初入)에 들어서니 삼선암(三仙巖) 세 봉우리의 기상(氣像)은 하늘을 찌를 듯 했다. 근처(近處) 가파른 철계단(鐵階段)을 오르니 귀면암(鬼面巖)을 만날 수 있었으나, 사진으로 보아왔던 것과는 달리 왜소(矮小)하고 기대(期待)에 못미쳐 아쉬웠다.

오른쪽에 위치한 절부암(切斧巖)의 기암괴석(奇巖怪石)이 병풍(屛風)처럼 둘러쳐져 이곳이 만물상 초입임을 짐작하게 했다.

① 隣(Rhin)-삼선암월색(三仙巖月色), 69×39cm, 한지, 먹, 천연혼합채색, 2012년 作
② 隣(Rhin)-외금강삼선암(外金剛三仙巖) 1, 88×69cm, 한지, 먹, 채색, 2007년 作
③ 隣(Rhin)-외금강삼선암(外金剛三仙巖) 2, 88×69cm, 한지, 먹, 채색, 2007년 作
④ 隣(Rhin)-삼선암일우(三仙巖一隅), 87×70cm, 한지, 먹, 채색, 2005년 作
⑤ 隣(Rhin)-외금강삼선암(外金剛三仙巖) 3, 33×23cm, 한지, 먹, 채색, 2008년 作
⑥ 隣(Rhin)-촉촉금강산(矗矗金剛山), 34.5×45cm, 한지, 먹, 채색, 2008년 作

①

④

⑤

⑥

■ 隣(Rhin)-"구룡연-만물상을 화폭에 담고“
<금강산 스케치 기행 5>

삼선암(三仙巖) 꼭대기에 앉아 만물상(萬物相)을 굽어보며 스케치하고, 카메라에 담으며 스릴도 만끽했다. 기기묘묘(奇奇妙妙)한 암벽들이 깎아내린 듯한 절부암(切斧巖)을 뒤로하고, 얼마쯤 산을 오르는데 깊이 들어갈수록 길은 난코스인데다 설상가상(雪上加霜)으로 응달진 곳이라 빙판길의 연속이었다. 가파른 철계단(鐵階段)을 숨가쁘게 오르니 만물상 정상(頂上)이 병풍(屛風)처럼 펼쳐져 있었다. 아 그 장엄(壯嚴)함이여! 그 절묘(絶妙)함이여! 기암괴석(奇巖怪石)들이 각양각색(各樣各色)으로 어우러져 그윽한 하모니를 연출하고 있었다. 그 벅찬 감동과 흥분을 어찌 필설(筆舌)로 표현하리오마는 이는 필경 하늘이 빚은 신(神)의 조화일 것이다.

신비(神秘)에 쌓인 만물상의 진면목 앞에서 한없이 밀려오는 감흥(感興)을 주체할 길이 없어 정신없이 화폭(畵幅)에 담아내느라 푹 빠져들고 말았다. 겸재(謙齋) 정선(鄭敾)(1676~1759)의 금강전도(金剛全圖) 골격(骨格)과 송강(松江) 정철(鄭徹)(1536~1593)의 관동별곡(關東別曲) 백미(白米)가 바로 이곳임을 알 것 같았다. 불현듯 수 백년 동안 우리 선대(先代) 화성(畵聖)들과 시인(詩人), 묵객(墨客)들이 다녀간 발자취를 고스란히 체득(體得)하는 것 같아 여간 감개무량(感慨無量)하지 않았다.

송나라 유명한 시인 소동파(蘇東坡)는 "고려(高麗)에 태어나서 금강산을 한번 보는 것이 소원이다"라며 찬탄(讚歎)했고, 일본 사람들은 "금강산을 보기 전에는 천하의 산수(山水)를 논하지 말라"고 하였다. 또한 1926년 내한(來韓)한 스웨덴의 구스타브 국왕은 금강산을 보고 "하나님이 천지 창조를 하신 여섯 날 중 마지막 하루는 금강산을 만들었을 것이다"라고 극찬(極讚)하지 않았던가!

① 隣(Rhin)-금강산만물상(金剛山萬物相), 127×96cm, 한지, 먹, 천연혼합채색, 2010년 作
② 隣(Rhin)-만물상일우(萬物相一隅), 69×88cm, 한지, 먹, 천연혼합채색, 2007년 作
③ 隣(Rhin)-만물상 운(萬物相 韻), 69×205cm, 한지, 먹, 채색, 2006년 作
④ 隣(Rhin)-외금강만물상(外金剛萬物相), 96×180cm, 한지, 먹, 채색, 2007년 作
⑤ 隣(Rhin)-만물상일우(萬物相一隅), 69×112cm, 한지, 먹, 채색, 2007년 作

①

②

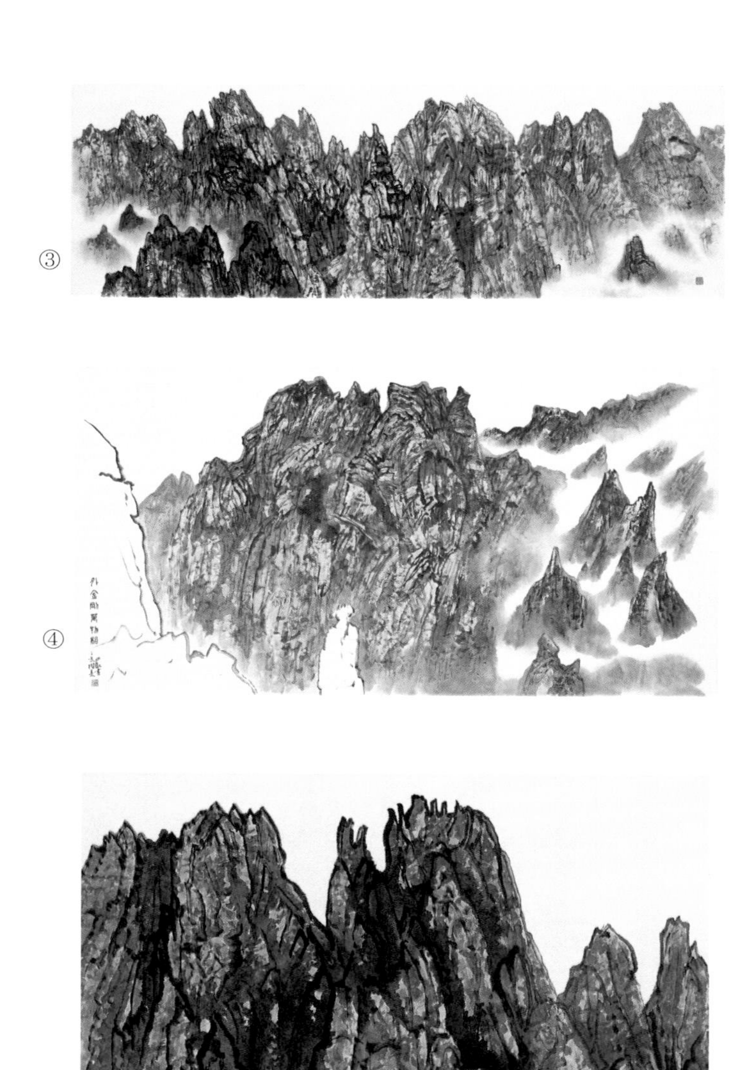
③
④
⑤

■ 隣(Rhin)-"구룡연-만물상을 화폭에 담고“ <금강산 스케치 기행 6>

한동안 멍하니 만물상 절경(絶景)에 넋을 잃고 있다가 정신을 차리고 사방을 둘러보니 일행(一行)은 아무도 보이지 않았다. 아쉽게도 못다한 감흥(感興)을 마음속에 가득 안고 발길을 돌려야만 했다. 하산(下山)할 때는 전날의 구룡연(九龍淵) 가는 길 보다 한결 수월했다. 양지(陽地) 바른 곳에서는 얼음 녹는 소리가 이곳 저곳에서 바지락댄다. 어느 가파란 비탈길에서 의도적(意圖的)으로 미끄러지는 척하며 가까이에 서 있는 북한(北韓) 안내원(案內員)에게 손을 내밀며 부축을 청(請)했는데 처음엔 무표정(無表情)으로 무덤덤하더니 나의 웃음 띈 얼굴에 동화(同化)되었는지 힘있게 손을 잡아주며 "조심해서 내려가시라요"라며 보여준 따뜻한 친절(親切)함에 잠시나마 겨레의 뜨거운 온정(溫情)을 느꼈다.

스케치한답시고 일행 중 늘 말미(末尾)에 떨어져 뒤를 쫓아다니는데 여념(餘念)이 없다 보니 삼선암(三仙巖) 근처에서 "차(茶) 한 잔 팔아주시라요" 외치던 북한(北韓) 여인(女人)을 외면(外面)하고 돌아온 것이 못내 마음에 걸린다. 어서 통일(統一)이 되어 남북(南北)이 하나 되는 날이 빨리 왔으면 좋겠다는 생각(生覺)이 불현듯 든다.

① 隣(Rhin)-외금강만물상(外金剛萬物相), 60×50cm, 한지, 먹, 천연혼합채색, 2009년 作
② 隣(Rhin)-외금강만물상일우(外金剛萬物一隅), 97×69cm, 한지, 먹, 천연혼합채색, 2009년 作
③ 隣(Rhin)-신만물상도(新萬沕相圖), 140×71cm, 한지, 먹, 천연혼합채색, 2010년 作
④ 隣(Rhin)-외금강만물상(外金剛萬物相), 6,5×33cm, 한지, 먹, 채색, 2012년 作
⑤ 隣(Rhin)-만물상소견(萬物相所見), 31×94cm, 한지, 먹, 채색, 2009년 作
⑥ 隣(Rhin)-금강산만물상(金剛山萬物相), 69×137cm, 한지, 먹, 채색, 2005년 作

①

②

③
④
⑤
⑥

# 금강산(金剛山)Series Ⅱ

외금강전도(外金剛全圖), 110×168cm, 천, 먹, 천연혼합채색, 2008년 作

■ "임무상의 금강산수도의 세계 1"
<林茂相의 金剛山水圖의 世界 1>

금번에 임무상의 금강산(金剛山) 산수도(山水圖) 전시회(조선일보미술관, 밀알미술관)는 여러면에서 깊은 의의(意義)를 지니는 예술적(藝術的) 잔치이다. 우선, 반세기(半世紀) 넘게 분단(分斷)된 조국에서 가장 빼어나게 아름다운 명산(名山)을 예술적 해석(解析)을 통해 감상할 수 있다는 점이 그 첫번째 의의일 것이다.

다음으로 우리는 이 전시회(展示會)를 통해 여태껏<초가(草家)의 화가>로 그리고 <곡선공동체(曲線共同體)(隣(Rhin)의 작가>로 더 잘 알려진 선생(先生)의 그림세계에서 다소 새로운 영역(領域)이라 할 수 있는 산수화(山水畵)의 진경(眞景)을 감상할 수 있다는 점이다. 이어서 금강산에 대한 산수화적(山水畵的)인 접근(接近)에 있어서 우리는 매우 다양(多樣)하고도 새로운 시각(視角)을 선생의 회화(繪畵)들 속에서 발견(發見)할 수 있다. 이런 여러 의의를 갖는 이번 전시회를 통하여 우리는 선생이 지닌 잠재적(潛在的)인 역량(力量)이 한껏 발휘(發揮)됨을 보게된다. 이번 전시회는 그러므로 <초가(草家)의 상징성(象徵性)>과 <곡선(曲線)의 윤리성(倫理性)>에 집착(執着)했던 선생의 화풍(畵風)에 새로운 지평(地平)을 여는 계기(契機)가 되었음은 두말할 나위가 없다.

그 새로운 지평이란, 곧 아름다운 자연(自然)을 보고 느끼는 우리의 정서(情緖)들이 어떤 것이며, 또 그러한 정서들 속에 표상(表象)된 자연의 이미지들이 어떤 차원(次元)으로 초월(超越)할 수 있는지를 시험(試驗)해 보는 시도(施圖)를 가리키는 것이다. 이러한 시도는 선생의 화풍에 <자연(自然)의 초월성(超越性)>이라는 새로운 가치(價値)의 지평(地平)을 여는 일이다 (중략)

-철학박사 朴昌豪-

① 隣(Rhin)-외금강운(外金剛韻), 36×42cm, 한지, 먹, 천연혼합채색, 2009년 作
② 隣(Rhin)-외금강만물상운(外金剛萬物相韻), 41×47cm, 한지, 먹, 천연혼합채색, 2009년 作
③ 隣(Rhin)-금강산 운(金剛山 韻), 43×47cm, 한지, 먹, 천연혼합채색, 2010년 作

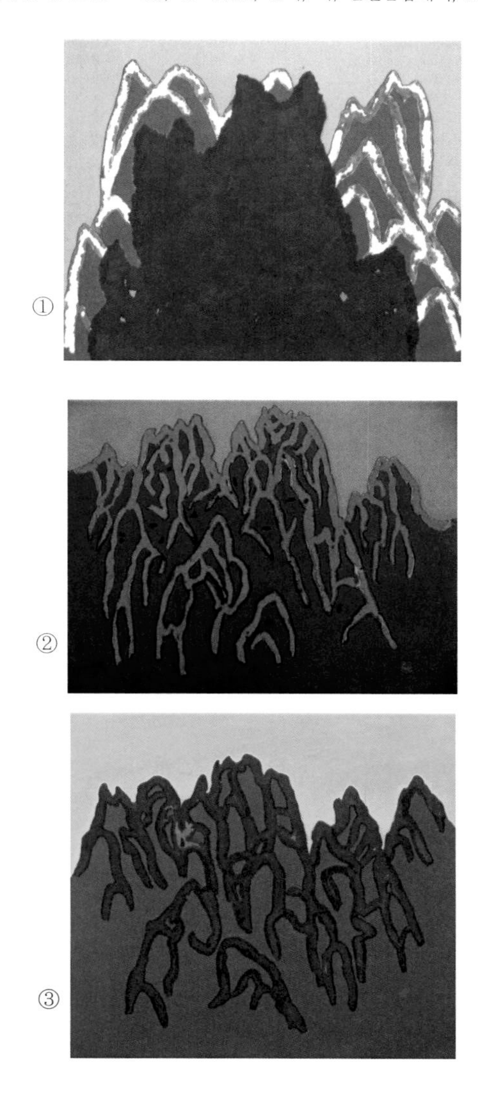

■ "임무상의 금강산수도의 세계 2"
<林茂相의 金剛山水圖의 世界 2>

한편 묵필(墨筆)의 힘차고도 날렵한 행보(行步)는 금강(金剛)의 산들만이 본질적(本質的)으로 지니는 고유(固有)한 "기상(氣相)을 화폭(畵幅)위에 명약관화(明若觀火)하게 <재구성(再構成)>해 놓고 있다. 화폭 위로 꿈틀거리며 비상(飛翔)하는 금강의 이 본질적인 기상을 보면서 우리는 금강산(金剛山)을 그저 바라만 보는 것을 넘어서서 금강산이라는 대상(對象)과 합일(合一)하여 함께 춤추는 경지(境地)로 진입(進入)하게 된다.

이제 그림속의 금강산은 우리가 바라보아야 할 대상이 아니라 우리의 정신(精神)속에 침투(浸透)되어 들어 온 살아있는 생명체(生命體)로 변한 것이다. 산수화(山水畵)의 이와 같이 전혀 새로운 만남은 바로 선생(先生)의 묵필이 갖는 역동적(力動的)인 운용(運用)에 의하여 가능(可能)했던 것이다. 선생의 묵필이 지니는 이 <역동성(dynamiciite)>이야말로 삼강선생(三江先生)의 화풍(畵風)에 가장 창조적(創造的)인 기초(基礎)를 제공하고 있는 원천(源泉)이다. 이 역동성을 대상(對象)에 대한 해석(解析)을 끊임없이 바꾸어 놓기 때문이다.

또한 담묵(淡墨)과 농묵(濃墨) 사이의 때로는 과감한, 때로는 점진적(漸璡的)인 대비(contraste)를 통해, 선생은 금강의 산들에, 때로는 급격(急激)하고, 때로는 완만(緩慢)한 굴곡屈曲)의 입체감(volume)을 만들어내고 있다. (중략)

-철학박사 朴昌豪-

① 隣(Rhin)-금강산 운(金剛山 韻), 98×65cm, 한지, 먹, 천연혼합채색, 2008년 作
② 隣(Rhin)-외금강일우(外金剛一隅), 71×93cm, 한지, 먹, 채색, 2008년 作

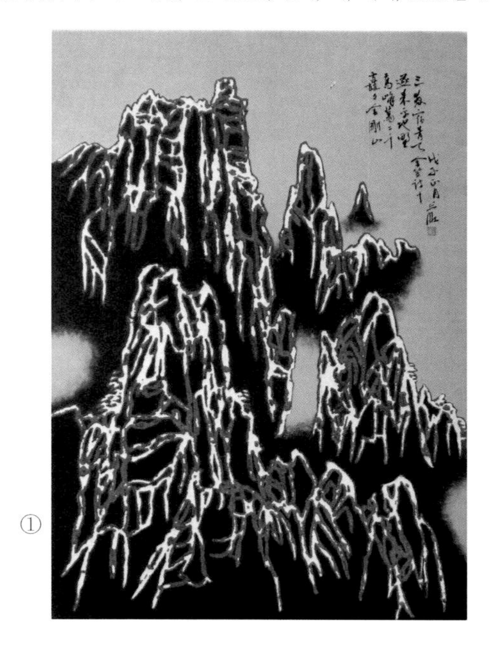

①

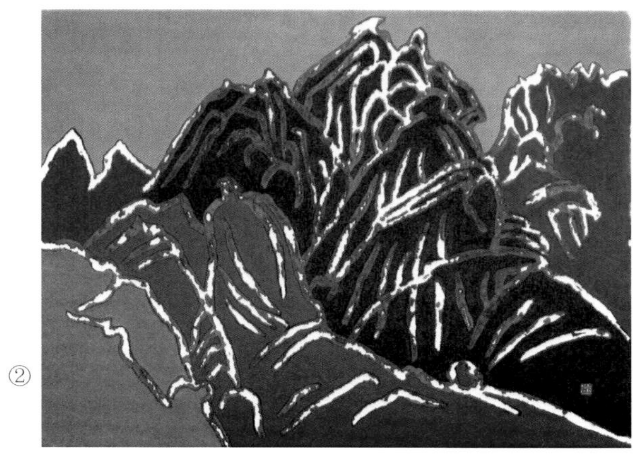

②

■ "임무상의 금강산수도의 세계 3"
<林茂相의 金剛山水圖의 世界 3>

다음으로 <반구상적(半具象的)인 범주(範疇)>의 그림들은 우리가 앞에서 언급(言及)한 삼강 산수화 특유(特有)의 진화(進化)가 이루어지는 그 두 번째 단계(段階)에 속하는 작품들이다.

앞의 <구상적(具象的)인> 차원(次元)에서 추구(追求)되었던 금강산(金剛山)의 본질적(本質的)인 형상(形象)은 그림에도 불구하고 아직은 그 완전하고도 순수(純粹)한 형태(形態)에 도달하지 못하고 있다.

왜냐하면 금강(金剛)의 산들은 작가가 입힌 독창적인 묘사와 해석의 옷들을 여전히 입고 있기 때문이다. 비록 작가가 만들어낸 이 새로운 옷들이 일상적인 금강산의 모습에서 벗어난 독창적인 금강의 이미지를 표상(表象)한다 하더라도, 금강의 산들을 바라보고 대하는 작가의 태도는 여전히 <자연적인 태도(attitude naturally)>의 수준(水準)에 머물러 있기 때문이다.

다시 말해서, 작가의 전망(展望)이 <일상적 태도>에서는 벗어났지만, <자연적 태도>로 부터는 아직 벗어나지 못했다는 것이다. <반구상적인> 진화의 단계에서 작가가 시도(試圖)해야하는 작업은 바로 이 <자연적 태도>를 벗어나는 일이다. 그렇게 함으로써만 작가는 금강산의 본질에 한 발짝 더 가까이 갈 수가 있는 것이다(중략)

-철학박사 朴昌豪-

① 隣(Rhin)-금강월색(金剛月色), 69×88cm, 한지, 먹, 천연혼합채색, 2008년 作
② 隣(Rhin)-금강월색(金剛月色), 69×88cm, 한지, 먹, 천연혼합채색, 2008년 作
③ 隣(Rhin)-만물상일우(萬物相一隅), 127×96cm, 한지, 먹, 천연혼합채색, 2010년 作

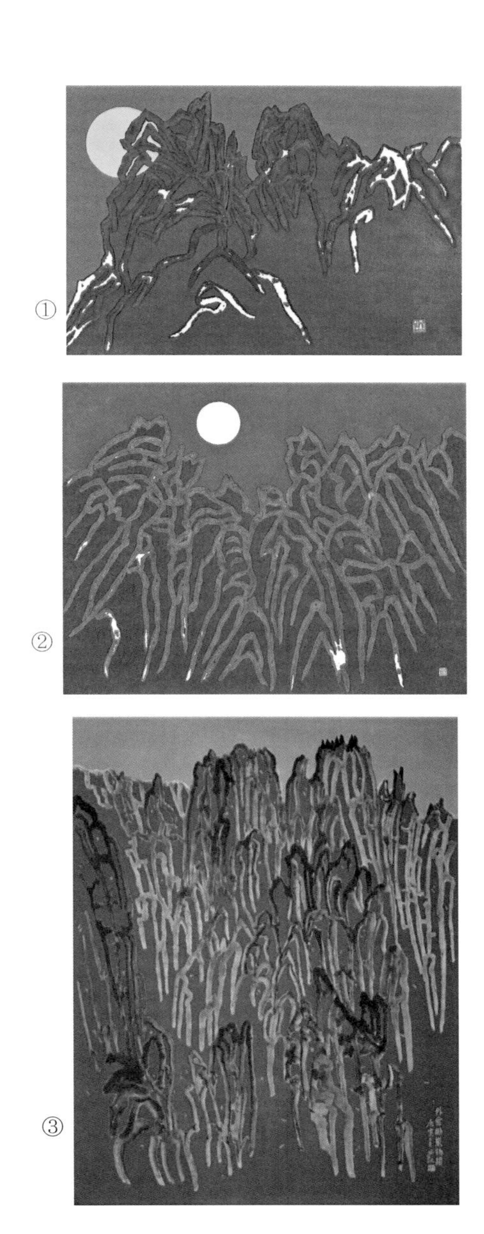

■ ″임무상의 금강산수도의 세계 4″
<林茂相의 金剛山水圖의 世界 4>

삼강선생의 자신의 <금강도법(金剛圖法)>에서 행한 ′추상화′는 그야말로 뼈를 깎는 고행(苦行)의 수도(修道)에 비유될 수 있는 작업이었다. 금강산에 대한 선생의 추상화들은, 작가 자신만이 알고 있는, 때로는 작가 자신도 잘 모르고 있는 것처럼 보이는, 난해(難解)하기 짝이 없는 <무제(無題)>의 추상화들이 아니다. 위에서도 살펴본 바와 같이, 선생은 사실적인 구상(具象)에서 한 단계씩 ′추상′으로 향하는 진화의 과정을 구체적인 작품들을 통하여 보여주고 있다. 아, 이 얼마나 신비스러운 변환이자 진화란 말인가! 선생의 ′금강추상화′들 이야말로, <구상>과 <비구상>의 경계를 넘나들며, 또한 <동양화>와 <서양화>의 벽을 허물어 버리는, ′자유자제(自由自制)′의 경지를 개척하고 있는 것이다. 이러한 경지는 곧 산수화에서 새로운 ′무릉도원(武陵桃園)′을 개진(開進)하는 일이며, 이러한 개진이야말로 산수(山水)의 ′진정한 경지′ 즉 <진경(眞景)>을 새로이 개척하는 일일 것이다. (중략)

우리는 금번에 선생의 ′금강산수도′를 통하여, 온갖 예술적 경험과 방대한 경륜(輕輪)을 지닌, 이순(耳順)을 넘은 선생의 안목으로 본 예술의 세계가 얼마나 다양하고, 또 얼마나 힘차고도 아름다우며, 그리고 얼마나 자연스럽고 순수한가를 분명히 보았다. 그러므로 한국화의 가능성을 개척하고 있는 선생의 장려(壯麗)한 <금강산수도법> 앞에서 우리 후학들이 갖출 수 있는 최소한의 예의는, ′순수함′과 ′열정′을 동시에 지녔으며, 세속의 명성과 영화(榮華)에 얽매이지 않는, 고매한 인격의 선생께서 앞으로 보여줄 또 다른 예술적 ′변형(transformation)′과 ′돌연변이(mutation)′에 대하여 단지 겸허한 마음으로 증언하기를 기다리는 것일 뿐이다. (終)

-철학박사 朴昌豪-

① 隣(Rhin)-신금강산도(新金剛山圖), 68×99cm, 한지, 먹, 천연혼합채색, 2010년 作
② 隣(Rhin)-금강산운(金剛山韻), 34.5×68.5cm, 한지, 먹, 천연혼합채색 2010년 作
③ 隣(Rhin)-금강별곡(金剛別曲), 47×58cm, 한지, 먹, 천연혼합채색, 2008년 作
④ 隣(Rhin)-금강월색(金剛月色), 69×92cm, 한지, 먹, 천연혼합채색, 2010년 作

①

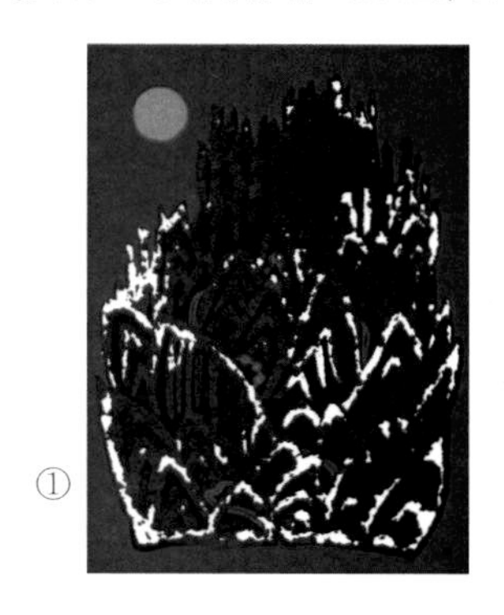

②

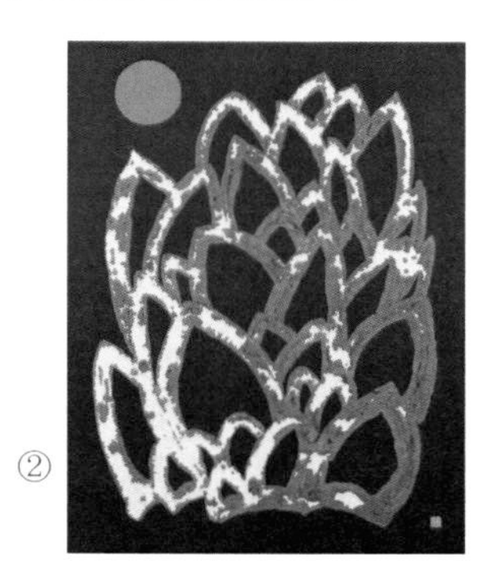

③

④

■ "금강산과 보름달"
-林茂相화백의 그림에 부쳐-

詩 박희진

일만이천 개의 암봉이 몽땅
일만이천 개의 금강석 되기까지
금강산은 얼마나 도를 딲았을까.

대낮의 눈부신 햇살을 받고
금강산이 화답하여 빛뿜을 때엔
지구도 잠시 운행을 멈출밖에.

하지만 금강산의 일만이천 암봉이
하나로 합쳐 상상을 불허하는
거대한 한 덩어리 금강석 되는 일은

체반 만 한 보름달이 중천에 걸렸을 때.
이 때를 놓칠세라 홀딱 벗은 금강산은
휘황찬란한 뼛속까지 드러낸다.

금강산이 비장해 온 영혼의 구조
그 안 보이던 비밀의 비밀까지 환히 드러낸다.
거대한 한 덩어리 금강석 내부의

온갖 크고 작은 폭포와 계곡수가
일제히 소리친다. 넋 나간 보름달은
창백해지다 못해 살려달라고 비명을 지른다.

水然 朴喜璡 시집 "영통(靈通)의 기쁨" 중에서 발췌

2013. 8. 30 好日堂에서

① 隣(Rhin)-금강월색(金剛月色), 45×34.5cm, 한지, 먹, 천연혼합채색, 2018년 作
② 隣(Rhin)-금강산운(金剛山韻), 44×35cm, 한지, 먹, 천연혼합채색, 2017년 作
③ 隣(Rhin)-금강월색(金剛月色), 38×70cm, 한지, 먹, 천연혼합채색, 2009년 作

①
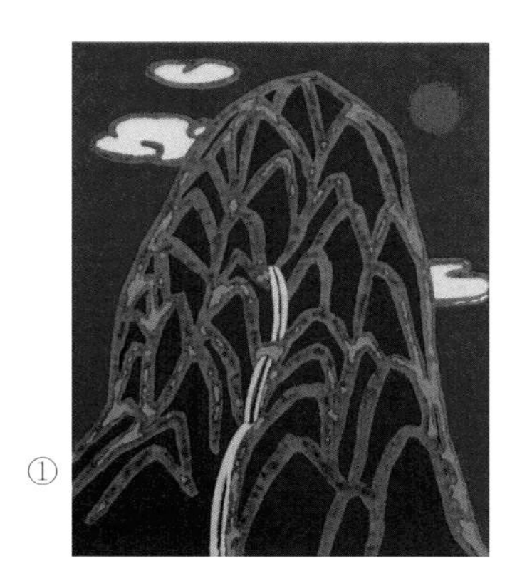

②
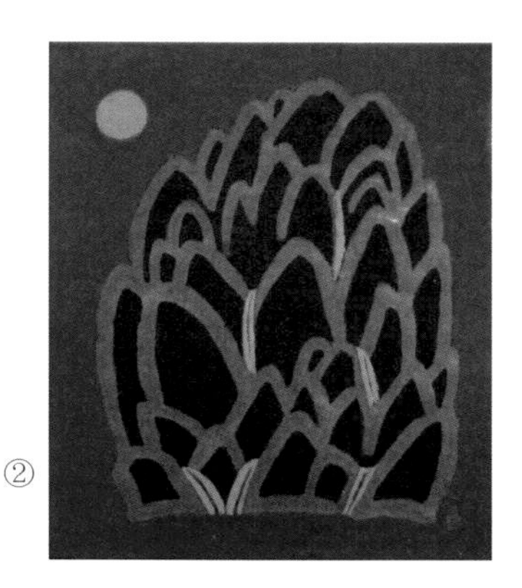

③

## ■ 심금을 울리는 깊은 격조
## -삼강(三江) 임무상 화백

詩 이인평

금강산 연봉의 기암괴석들이 물결치듯 밀려든다 끊임없이 쏟아져 내리는 구룡폭포와 함께 그의 재능이 일탈의 경지를 보여준 화폭마다 더는 손댈 곳이 없는 금강의 진경들이 꿈틀거린다

그만의 새로운 시각으로 재구성된
구도의 첩경 속 일만 이천 봉우리가 하늘을 스칠 때 마치 협곡을 흘러나온 '삼강(三江)'이 서로 합류하듯 그가 걸어온 화업(畵業)의 여정에서 드러난, '린(隣)-초가'와 '곡선공동체'와 '금강산'을 거쳐 정기와 지조 서린 '산 · 소나무 · 달'로 이어져 온 존재의 애환과 그 정신의 정수리들이 함께 빛난다

그의 그림들은 타고난 재능에다 완벽함이 더해져서 돌이킬 수 없는 필선의 격조와 더불어 붓을 든 열정이 그 스스로를 다그쳐 가는 까닭에 그의 의지 또한 운명적인 흐름에 순명하듯
그림을 통한 예술혼의 경지를 드러내 보이고 있다

그의 화폭에서 민족의 정한(情恨)이 변주되고 있다 그는 일찍이 이 땅의 전통을 바탕으로 한 '한국성-이즘'이라는 곡선미의 원형을 추려 잡아 공동체적 소통에 기여하는 선과 색채를 추구하였으니 그의 독창적인 화면에서 밀려드는 감동이야말로 자애의 미덕을 지닌 그의 도타운 심성과 더불어 보는 이의 심금을 울리는 깊은 격조였다

* '린(隣)-초가', '곡선공동체', '금강산', '산 · 소나무 · 달'은 그의 전시회 타이틀에서, '한국성-이즘'은 그의 '작가의 말'

① 隣(Rhin)-금강별곡(金剛別曲), 28×62cm, 한지, 먹, 천연혼합채색, 2010년 作
② 隣(Rhin)-외금강만물상(外金剛萬物相), 123×247cm, 한지, 먹, 천연혼합채색, 2008년 作
③ 隣(Rhin)-금강산운(金剛山韻), 34×42cm, 한지, 먹, 천연혼합채색, 2009년 作
④ 隣(Rhin)-금강별곡(金剛別曲), 47×58cm, 한지,먹,천연혼합채색, 2008년 作

①
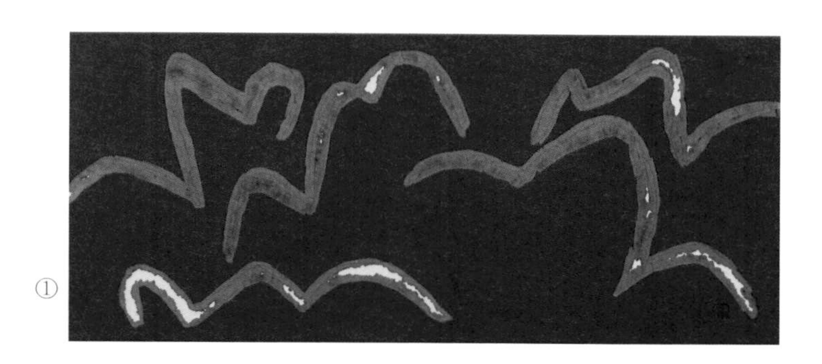

②

③
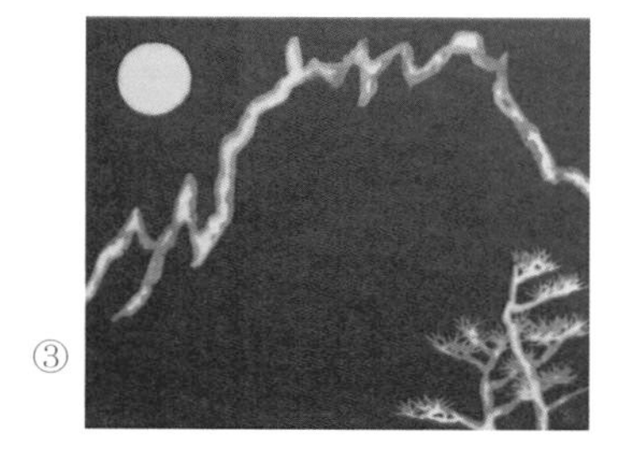

④
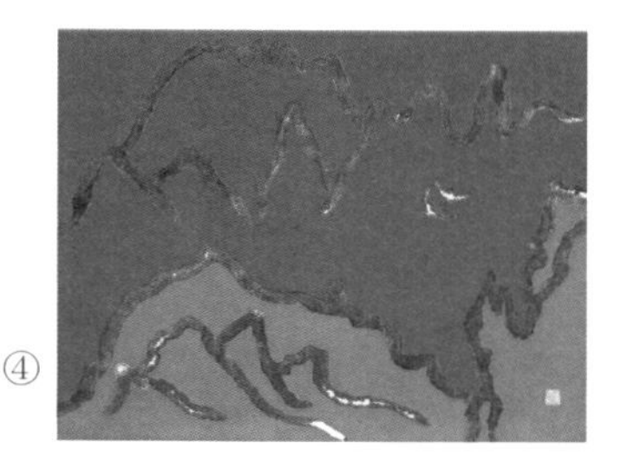

■ 隣(Rhin)-신 만물상도(新 萬物相圖)

내가 금강산(金剛山)을 찾은 이유는 죽기 전에 꼭 한번 만물상(萬物相)을 보고 싶은 간절한 소망이 있었기 때문이다. 그 소망은 2005년 2월 어느 날 이루어졌다.

금강산을 찾았을 때는 온 산천이 하얗게 눈으로 덮혀 북한사람들이 말하는 설봉산(雪峰山) 그대로였다. 오르내리는 산길은 아이젠 없이는 한 발자국도 움직일 수 없었다. 난감하기 그지없는 고된 산행이었지만 기다렸던 금강산 탐방(探訪)이라 즐거운 마음으로 등정했다. 다행히 전날 그렇게 힘들게 올랐던 옥류동(玉流洞) 계곡과 구룡연(九龍淵) 찾아가는 길과는 사뭇 다른 만물상 오르는 길은 양지바른 곳인데다 가파른 길엔 철계단까지 놓여있어 한결 수월했다. 삼선암(三仙巖), 귀면암(鬼面巖)을 둘러보고 한 시간쯤 올랐을까 기기묘묘(奇奇妙妙)한 거대한 바위산이 파노라마처럼 펼쳐지고 있었다.

그 신비스러운 장엄(莊嚴)함을 어찌 필설(筆舌)로 표현하리오! 한동안 마주하며 밀려오는 한없는 감개무량(感慨無量)함에 순간순간마다 느끼는 감동을 마음속에 담고 스케치하였다. 응달진 곳엔 잔설(殘雪)이 바위틈에 소복히 쌓여있어 한겨울임을 실감케 한다. 머지않아 이곳 만물상(萬物相)에도 봄이 찾아오면 녹색 물결이 융단처럼 드리우리라는 감흥이 일어 착상(着想)한 것이 청녹색(靑綠色) 금강산의 태동이다.

작품 "신 만물상도(新萬物相圖)"는 일명 청녹색 금강산이라고 이름을 붙였다. 나의 조형언어인 곡선미학(曲線美學)을 접목하여 탄생 된 만물상의 새로운 면목(面目)인 만큼 많은 이들에게 사랑받았으면 좋겠다.

① 隣(Rhin)-신 금강산도(新 金剛山圖), 69×137cm, 한지, 먹, 천연혼합채색, 2008년 作
② 隣(Rhin)-신만물상도(新萬物相圖), 69×137cm, 한지, 먹, 천연혼합채색, 2008년 作
③ 隣(Rhin)-외금강일우(外金剛一隅), 69×136cm, 한지, 먹, 채색, 2007년 作

①

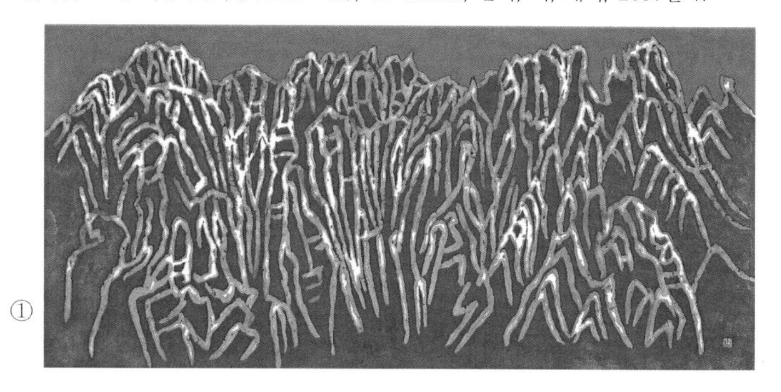

②

③

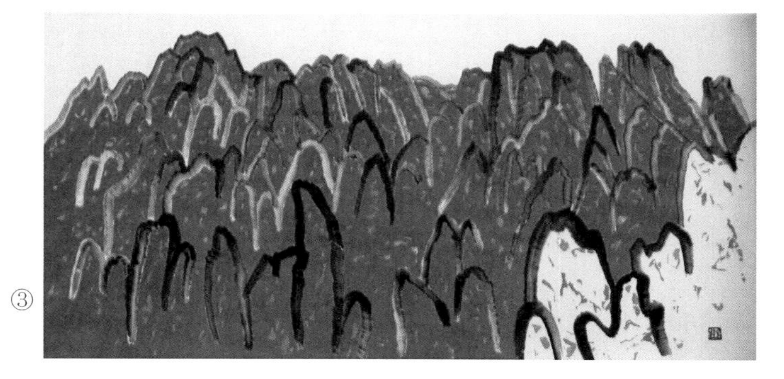

■ 隣(Rhin)-외금강 삼선암

삼선암(三仙巖)은 금강산의 만물상 입구 왼쪽에 솟은 상선암, 중선암, 하선암의 세 바위를 가리킨다. 구름이 움직이면 마치 하늘에서 신선들이 내려오는 것 같다고 해서 붙은 지명이라 한다.

2005년 꿈에 그리던 금강산(金剛山)을 찾았을 때, 가장 인상 깊었던 곳은 삼선암이었다. 만물상(萬物相) 초입에 자리하고 있는 삼선암은 만상정과 절부암 그리고 귀면암과 어우러진 명소 중의 명소이다. 작은 아치형 다리를 건너면 하늘 높은 줄 모르고 치솟은 돌기둥의 위엄이 장엄하게 다가온다. 소정(小亭) 변관식(卞寬植)선생의 대표작 "외금강 삼선암 추색(秋色)"에서 이렇게 서술(敍述)하고 있다 "생명을 안고 치솟은 바위, 외금강의 역동적 기운이 꿈틀되는 듯 하다" 참으로 웅대하고 신비롭기 그지없다.

내가 금강산을 찾았을 때는 2월이라 만물상 산발치엔 칼바람이 머물고 있었지만, 아랑곳 하지 않고 삼선암 옆 철계단을 타고 올랐다. 하늘로 치솟은 삼선암을 가까이서 보고 싶기도 하고, 저 멀리 보이는 만물상을 잡기 위해서다. 반대쪽은 천애(天涯) 낭떠러지였지만 스케치 한 점 건지기 위해 아찔함도 무릅쓰고 흠뻑 빠져있는데 인기척이 나서 돌아보니 북한 순찰원인지 정보원인지 한명이 다가왔다. "뭘 그리 열심히 하시오. 아! 화가시구만요" 나는 얼른 스케치를 마무리하고 철계단을 내려와 일행 뒤를 쫓아 만물상을 향해 올랐다. 남북(南北)이 하나되어 마음놓고 자유롭게 왕래(往來)하는 날이 어서 왔으면 좋겠다. "외금강 삼선암", "삼선암 일우(一隅) 그리고 "삼선암 월색(月色)"은 순간마다 느끼는 감흥에 따라 번안(飜案)하고 재해석(再解析)하여 탄생 된 작품들이다.

① 隣(Rhin)-금강산소묘(金剛素描), 47×58cm, 한지, 먹, 천연혼합채색, 2008년 作
② 隣(Rhin)-삼선암월색(三仙巖月色), 34.5×42cm, 한지, 먹, 천연혼합채색 2009년 作
③ 隣(Rhin)-삼선암월색(三仙巖月色), 69×39cm, 한지, 먹, 천연혼합채색, 2012년 作

①

②

③

## ■ 隣(Rhin)-외금강(外金剛) 만물상(萬物相)

온정리(溫井里)에서 만물상(萬物相)을 오르는 길, 온정령을 오르다 보면 뱀이 타래를 틀고 있는 듯한 굽이길을 만나게 되는데 참 인상적이었다. 70여개의 굽이길은 끝이 보이지 않을 만큼 지루한 산길이다. 주변에 한하계, 만상계가 자리하고 있어 풍광은 수려하지만 때가 때인지라 나목(裸木)들이 을씨년스럽기 그지없어 산속은 적막감이 흐른다.

반갑게 만난 금강산(金剛山) 미인송(美人松)마저 잔뜩 움추리고 있어 그 자태(姿態)를 찾아볼 수 없었다. 굽이굽이 헐떡이며 오르다 보니 드디어 만상정이 있는 곳에 이르렀다. 그곳에서 오른쪽으로 꺾어 들면 만물상 초입에 들어서게 된다. 바위들이 기둥 모양으로 우뚝우뚝 솟아 만고풍상(萬古風霜)을 겪으면서 깎이고 다듬어져 온갖 형태의 모양으로 길손을 맞이하고 있다.

산을 타고 한 시간쯤 오르면 만물상과 마주한다. 만물상의 기기묘묘(奇奇妙妙)함과 경이로움을 어찌 말과 글로 표현하리오마는 그 신비롭고 장엄함을 가슴에 담고 스케치하고 감흥에 따라 화폭(畵幅)에 옮겼을 따름이다.

금강산을 다녀와서 많은 먹(墨) 작업을 하였다. 먹의 단백하고 단아한 맛과 멋은 우리의 정서와 감성에 부합하는 으뜸의 빛깔이다. 응축된 먹빛에서 맑고 투명한 아취(雅趣)와 깊고 오묘한 유현미(幽玄美)를 본다. 발묵과 선염에서 묻어나는 먹빛은 몽환적 청아(淸雅)함 그대로다. 그래서 나는 먹 작업을 즐겨 하고 있다. "외금강 만물상" 이 그림은 먹(墨) 작업 중에 가장 애정이 가는 작품으로 먹의 선염과 유현미를 한껏 발현(發現)하였다고 볼 수 있다.

① 隣(Rhin)-외금강 만물상(金剛萬物相), 57.5×94cm, 한지, 먹, 채색, 2010년 作
② 隣(Rhin)-신 만물상도(新萬物相圖), 123×247cm, 한지, 먹, 채색 2008년 作
③ 隣(Rhin)-금강월색(金剛月色), 69×88cm, 한지, 먹, 천연혼합채색, 2008년 作

①

②

③

■ 隣(Rhin)-푸른밤 금강산(金剛山)

2005년 금강산을 다녀와서 3년동안 금강산 그림만 그렸는데 마지막으로 운필한 작품이 "푸른밤 금강산(金剛山)"이다. 변형 500F 대작(大作)으로 꼬박 6개월 걸려 탄생한 회심의 역작이다. 당시 지인의 도움으로 금강산을 탐방(探訪)할 수 있었던 것은 큰 행운이었다. 죽기전에 꼭 한번 만나고 싶었던 소망이 이루어 진 것이다. 2박3일이란 짧은 일정이었지만, 운좋게 3일째 되는날 만물상과 마주하게 되었다.

만물상의 장관이 눈앞에 펼쳐지는 순간 감개무량(感慨無量)함을 어찌 필설(筆舌)로 표현하리오! 그 장엄(莊嚴)한 비경의 진면목(眞面目)을 나의 화폭에 어떻게 담을 것인가? 그동안 수많은 묵객(墨客)과 화성(畵聖)들이 다녀가 많은 걸작들을 남겼는데 분명 차별화되어야 하지 않을까? 문득 스치고 지나가는 그 무엇이 있었다. 그것은 다름아닌 나의 조형언어인 곡선미학의 접목(接木)이었다.

밀려오는 감동과 벅찬 희열에 쌓여 한동안 정신없이 찍고, 스케치하는데 여념이 없었다 가슴 뭉클하게 담고 돌아와 꼬박 3년동안 100여 점의 크고 작은 금강산 그림을 작화(作畵)하였다. 그중 60점을 선정하여 조선일보미술관과 밀알미술관에서 발표하여 그림 애호가들로 부터 호평과 주목(注目)을 받았다.

다만 작품 "푸른밤 금강산(金剛山)"은 그 이후에 제작되었는데 6개월이란 긴 시간이 걸려 탄생(誕生)된 만큼 많은 애정이 가는 작품이다. 밤이라는 주제로 운필했지만, 물상(物像)에 대한 사의적(寫意的) 표현에 중점을 두었을 뿐, 컬러풀한 바탕색과 둥근 달(心月)은 밤의 상징적인 의미를 담았을 뿐이다.

□ 隣(Rhin)-푸른밤 금강산(金剛山), 156×406cm, 한지, 먹, 천연혼합채색, 2011년 作

■ 隣(Rhin)-"구룡연 가는 길 /구룡빙폭

구룡연(九龍淵) 가는길은 멀기도 하지만 험하고 깊은 골짜기다. 탐방(探訪)하는 시기가 2월이라 눈이 많이 쌓여, 오르기가 용이(容易)하지 않았다. 일행 중에 한분이 '아이젠' 여유분이 있어 고맙게도 빌려주어 안전하게 등정(登程)할 수 있었다. 북한(北韓) 안내원의 말이 이곳에서는 눈이 많아 겨울 금강산을 설봉산(雪峰山)이라 부른다고 한다. 그만큼 겨울엔 눈이 많다는 것이다.

목련각에서 점심을 먹고(평양냉면) 얼마쯤 오르니, 그 유명한 옥류동(玉流洞) 계곡이 나타났다. 눈이 많이 쌓여 먼 산은 하얗게 눈으로 덮혀 설봉산 그대로다. 계곡물은 얼어붙어 명경지수(明鏡止水)는 찾아볼 수 없지만, 얼음 사이로 흐르는 맑은 물소리가 눈이 시릴만큼 청아하여 소쇄(瀟灑)한 옥류동 정취를 음미(吟味)할 수 있었다. 멀리 근사한 아취형 다리를 건너서니 계곡에서 불어오는 칼바람이 여간 매섭지 않았다. 냉기 가득한 싸늘한 산중이었지만 사진으로만 보아왔던 구룡폭을 만난다는 즐거움으로 부지런히 트레킹을 했다. 한 시간쯤 올랐을까? 멀리 관폭정(觀瀑亭/일명 九龍亭)이 시야에 들어온다. 주변 산세와 구룡연 계곡이 워낙 신비롭고 웅대(雄大)하여 바위 위에 루각(樓閣)이 그림처럼 앉아있다. 헐레벌떡 관폭정에 오르니 아불싸! 장엄(莊嚴)한 구룡폭포(九龍瀑布)는 결빙되어 거대한 빙폭(氷瀑)이 민낯으로 우리 일행을 맞아주었다. 웅장(雄壯)한 굉음을 듣지도 보지도 못하니 허망하기 그지없다. 안타까운 마음으로 한동안 머물며 구룡빙폭(九龍氷瀑)의 현장감을 가슴에 담고, 몇 점의 주변 풍광을 스케치했지만 미련과 아쉬움을 안고 하산(下山)해야만 했다.

금강산 탐방을 모두 마치고 돌아와, 이를 바탕으로 여러 형태의 작업들을 번안(飜案)하고 재해석한 작품이 구룡빙폭(九龍氷瀑) 연작이다.

① 隣(Rhin)-외금강구룡빙폭(外金剛九龍氷瀑), 63×40.5cm, 한지, 먹, 천연혼합채색, 2009년 作
② 隣(Rhin)-외금강구룡빙폭(外金剛九龍氷瀑), 70×38cm, 한지, 먹, 천연혼합채색, 2008년 作
③ 隣(Rhin)-찬구룡연가(讚九龍淵淵歌), 123×247cm, 한지, 먹, 천연혼합채색, 2007년 作
④ 隣(Rhin)-외금강구룡빙폭(外金剛九龍氷瀑), 93×38cm, 한지, 먹, 채색, 2007년 作

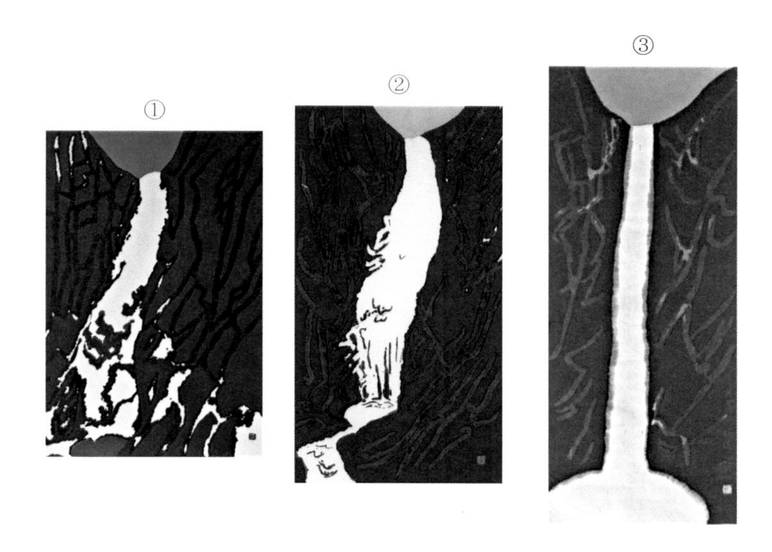


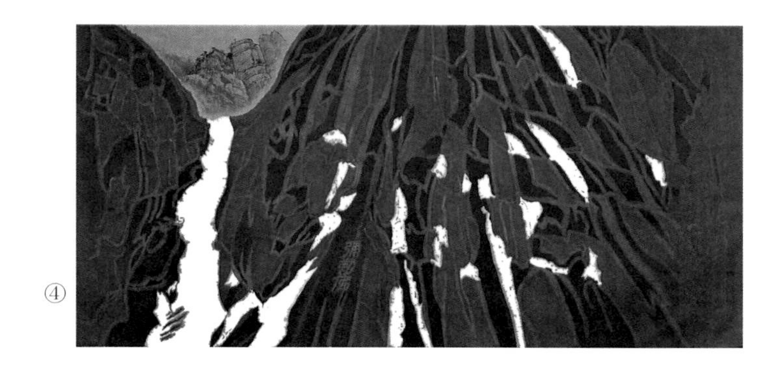

## ■ 隣(Rhin)-"만물상(萬物相) 들머리에서 /만상정, 삼선암, 귀면암 절부암"

오늘은 만물상을 찾아가는 날이다. 그토록 만나고 싶었던 만물상(萬物相)을 찾아가는 날이니 새벽부터 가슴이 설렌다. 아침 6시에 일행과 함께 공용식당에 내려가 조반(朝飯)을 마친 다음, 곧바로 셔틀버스에 올랐다. 온정리에서 만물상 가는 길은 구룡연(九龍淵) 찾아가는 길과는 사뭇 달랐다. 계곡을 따라 차로 오를 수 있었기 때문이다. 뒤뚱대며 산길을 얼마쯤 오르니 가파른 굽이 길이 나타났다. 자그만치 일흔 일곱 굽이나 되는 곡선(曲線) 도로가 인상적이었다. 6.25때 북한군이 작전 수행 차 닦아 놓았던 길이라 한다. 계곡(한하계)을 따라 한참 오르니 굽이길은 끝나고 산 중턱에 자리하고 있는 작은 주차장(駐車場)에 차는 정차했다. 여기서부터 만물상(萬物相)까지는 걸어서 등정(登程)해야만 한다. 들머리에는 만상정이란 멋진 봉우리가 길손을 반갑게 맞아주고 있다.

오르는 길은 가파르고 응달진 곳엔 눈이 쌓여 다소 어려움이 있었지만 양지바른 곳이 많아 등산에는 큰 문제가 없었다. 초입(初入)에 들어서니 장엄한 삼선암(三仙巖)이 위풍당당 그 자태를 뽐내고 있다. 세 봉우리의 위용(威容)은 하늘을 찌를 듯 하여 절로 감탄이 나왔다. 바위틈을 뚫고 서 있는 몇 그루의 여린 소나무들이 생명의 강인함을 보여 주고 있다. 몇 점의 드로잉과 기념사진 한 점 남기고 삼선암 끝자락에 있는 가파른 철계단을 오르니 귀면암(鬼面巖)이 근처에 있었다. 생각과는 달리 외소(矮小)하여 기대에 못미쳤지만 귀면암의 진면목을 만날 수 있었으니 행운이었다. 다시금 산길을 따라 오르니 맞은편에 깎아 지른 듯한 웅대한 절부암(切斧巖)이 병풍처럼 다가왔다. 초입부터 만물상이 예사롭지 않음을 가늠케 하는 기암괴석(奇巖怪石)들이 즐비하다. 기대와 호기심으로 가득차 만물상(萬物相)을 향하여 부지런히 발길을 옮겼다.

① 隣(Rhin)-만물상(萬物相)초입/만상정, 88×69cm, 한지, 먹, 채색, 2007년 作
② 隣(Rhin)-외금강삼선암(外金剛三仙巖), 88X269cm, 한지, 먹, 채색 2007년 作
③ 隣(Rhin)-외금강삼선암(外金剛三仙巖), 43×34cm, 한지, 먹, 채색, 2006년 作
④ 隣(Rhin)-외금강귀면암(外金剛鬼面巖), 114×69cm, 한지, 먹, 채색, 2007년 作
⑤ 隣(Rhin)-만물상일우(萬物相一隅)/절부암(切斧巖), 88×69cm, 한지, 먹, 채색, 2007년 作
⑥ 외금강절부암(外金剛切斧巖) 사진
⑦ 외금강삼선암(外金剛三仙巖) 앞에서 포즈

①

②

③

④

⑤

⑥

⑦

■ 隣(Rhin)-장전항월색(長箭港月色)

2005년 금강산 기행 때 첫날 밤을 장전항(長箭港) 근처 산 언덕배기에 있는 숙박시설 타운에서 묵게 되었다. 현대아산이 지은 멋진 호텔도 있었지만, 간이 숙소(宿所)로 방갈로들이 즐비하게 자리하고 있었다. 운좋게 우리 일행은 호텔에서 묵게 되었는데 타운내에는 편의점이 없고 투숙객들이 식사할 수 있는 공용(共用)식당이 있을 뿐이었다. 외출이 허락되는 밤시간을 이용하여 룸메이트와 함께 온정리(溫井里)로 음료수와 군것질거리 사러 버스에 올랐다. 문제는 돌아올 때 발이 묶여 혼이 났던 기억이 아직도 생생하다. 마트에서 구입한 장바구니를 들고 시간에 맞춰 모두 버스에 승차(乘車)하였는데 느닷없이 귀환(歸還)시간이 오버되었다고 숙소로 돌아갈 수 없다는 것이다. 참으로 난감(難堪)하고 당혹스러웠다.
무려 두시간이 지나서야 풀려나기는 했지만, 그동안 긴장(緊張)과 불안(不安)속에 떨었던 생각을 하면 지금도 아찔하다.

새벽 5시경에 기상(起床)하여 호텔 공용식당으로 가기 위해 밖을 나섰는데 환상적인 비경(秘景)을 마주하게 되었다. 장전항 맞은편 웅대(雄大)한 산봉우리들이 묘한 보라빛으로 쌓여 다가오는데 그야말로 기상천외(奇想天外)한 풍경이었다. 이 감동을 어찌 말로서 표현하리오! 감탄(感歎)이 절로 나왔다. 어둠이 채 가시기 전이라 산등성이에 매달린 둥그런 새벽달이 유난히도 밝고 청아하여 몽환적(夢幻的) 분위기를 자아내고 있었다. 내 생전에 이런 황홀한 비경(秘景)을 어찌 만날 수 있을까! 자연의 오묘한 연출에 넋을 잃고 말았다.

금강산 탐방을 모두 마치고 돌아와 그 순간의 감동을 화폭(畵幅)에 담으려 했지만, 표현의 한계에 부딪혀 아쉬움이 컸다. 나름대로 현장감을 담아 열작(熱作) 끝에 기대치에는 못 미쳤으나, 장전항월색(長箭港月色) 몇 점을 건질 수 있었다.

① 隣(Rhin)-장전항월색(長箭港月色), 69×112cm, 한지, 먹, 천연혼합채색, 2008년 作
② 隣(Rhin)-장전항월색(長箭港月色), 34×41cm, 한지, 먹, 천연혼합채색, 2017년 作
③ 隣(Rhin)-어 장전항(於 長箭港), 34×45cm, 한지, 먹, 채색, 2008년 作
④ 隣(Rhin)-장전항월색(長箭港月色), 50×54cm, 한지, 먹, 천연혼합채색, 2013년 作
⑤ 隣(Rhin)-장전항월색(長箭港月色), 27×35cm, 한지, 먹, 천연혼합채색, 2009년 作
⑥ 隣(Rhin)-장전항월색(長箭港月色), 67×182cm, 한지, 먹, 채색, 2005년 作
⑦ 隣(Rhin)-장전항월색(長箭港月色), 70×204cm, 한지, 먹, 채색, 2005년 作
⑧ 隣(Rhin)-장전항(長箭港) 새벽, 34×45.5cm, 한지, 먹, 채색, 2006년 作

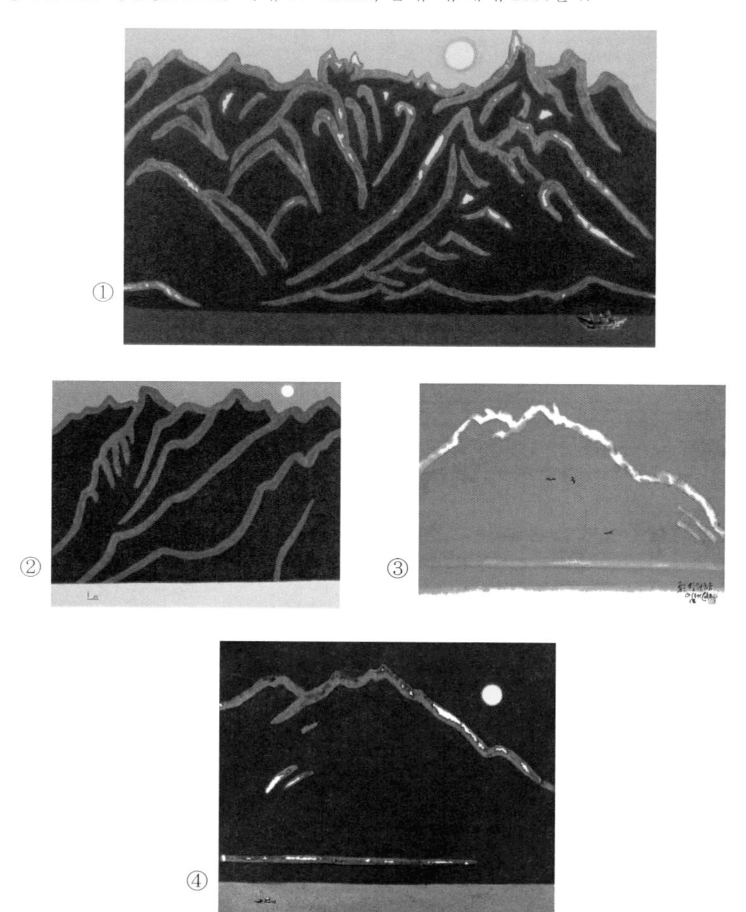
① ② ③ ④

⑤

⑥

⑦

⑧

■ 隣(Rhin)-산폭도(山瀑圖)/일명 금강별곡(金剛別曲)

작품 "산폭도(山瀑圖)/일명 금강별곡(金剛別曲)"은 금강산(金剛山) 탐방(探訪) 이후 탄생(誕生)된 작품이다. 장엄(壯嚴)하고 웅위(雄威)한 금강(金剛)의 감동(感動)을 조합(組合)하여 구성(構成)한 작품이다. 다시 말해서 금강산 이미지를 근간(根幹)으로 번안(飜案)하고 재해석(再解析)하여 작화(作畵)하였다는 점을 밝혀둔다.

작화에 있어서 곡선미학(曲線美學)을 접목하였으며, 크고 작은 폭포(瀑布)들을 묶어 좌우 쌍폭(雙瀑)을 배치하고, 전체적인 화면의 균형(均衡)과 조화(調和)를 중시했다. 또한 이곳 저곳에 숲을 상징하는 몇 그루의 나무들을 심고, 구룡정(九龍亭)인 작은 정자(亭子)도 그려 넣어 금강의 이미지를 부각(浮刻)시켰다.

다른 작품에 비해 바탕색(산색/山色)을 양분화(兩分化)하여 하늘색과 차별화하였지만, 톤(Tone)에 있어서 크게 이질감(異質感)이 없도록 페인팅함으로써 어느 정도 균형미를 잃지 않은 듯 싶기도 하다.

작품 산폭도(山瀑圖)는 프랑스 그르노블, 마운틴 플레닛 "임무상초대전(招待展)"에 출품(出品)한 대작(大作)으로써 다음 순회전(巡廻展)을 위해 지금 파리 모처(某處)에 보관 중이다.

① 隣(Rhin)-산폭도(山瀑圖)/금강별곡(金剛別曲), 155×238cm, 한지, 먹, 천연혼합채색, 2012년 作

②③ 프랑스, Grenoble, Montana Planet 임무상초대전 전시장면

①

②

■ 만물상의 임무상식 진화방식

[2020-06-03 / 後學 朴昌豪 謹考]

만약 우리가 진화의 법칙을 지지할 수 없다면, '진화'의 개념 대신 '변화'의 개념을 채택할 수 있다. 하지만 진화든 변화든 이를 통해 '발전'을 이룰 수 있다면, 두 개념은 하나의 통일된 개념으로 수렴될 수 있을 것이다.

임무상 화백이 그린 회화작품인 <금강산 만물상>이 표상하는 진화는, 점진적인 듯 보이지만 상당히 라디칼(radical : 급진적)하게 느껴진다. 왜냐하면, 작가는 만물상이라는 오브제 (objet : 미술작품으로서의 대상)를 표현하는 과정에서, 두 번의 근본적인 "패대기(抽象化)"를 만물상이라는 오브제에 가격해대고 있기 때문이다.

여기서 우리는 일단 <고비사막의 비화>라는 20세기 초에 쓰인 소설에서 묘사된 다음과 같은 에피소드를 살펴보는 게 좋겠다 :

[사막 한가운데의 작은 오아시스 마을 어느 주막집 저녁 테이블에서는 나름대로 재미있는 놀이가 벌어지고 있었다. 사막의 감귤인 팡플무스(자몽)의 두꺼운 껍질을 손으로 쥐어짜서 누가 더 많은 즙액을 짜내는가를 다투는 놀이였다. 시도에 나선 첫 번째 사나이가 커다랗고 우악스런 손에 힘을 주자 자몽의 껍질에서는 주르륵 하면서 한 줄기 즙액이 흘러내렸다.

이어서 두 번째 시도에 나선 사나이의 손아귀에 잡힌, 더 이상 즙액이 나올 것 같지 않은 자몽의 껍질에서, 이번에는 즙액 방울이 똑똑 떨어지는 정도로 흘러내렸다. 두 번의 쥐어짜기 후에 남겨진 자몽껍질의 모습은 마치 물기 하나 없는 퍼석퍼석한 스펀지 같았다. 그런 자몽껍질의 모습을 보고 있던 주막의 사람들은 더 이상은 즙액을 짜내는 시도가 불가능할 것이라고 생각하고 있었다.

바로 그때 옷의 먼지를 털면서 주막을 들어서는 작은 체구의 비쩍 마른 몸매를 지닌 사나이가 보였다. 사람들은 방금 들어 선 몸집 작은 사내가 자몽껍질 즙액 짜기 놀이에 가담하리라고는 꿈에도 생각하질 않았다. 하지만 그 작은 사내는 즉시 놀이의 내용을 알고서는 자신도 그 놀이에 가담할 뜻을 비쳤다. 사람들은 그를 비웃는 듯이 야릇한 표정으로 그 사내의 시도를 지켜보았다.

물기 하나 없는, 스펀지나 고무처럼 퍼들퍼들한 상태가 되어버린 자몽껍질을 그 작은 사내가 손에 쥐었을 때에, 주막 안에는 반신반의하는 옅은 경멸의 웃음기가 감돌았다. 하지만 이게 웬 날벼락인가? 그 사내의 작고 여린 손아귀에 있던 자몽껍질로부터 주르륵 한 줄기 즙액이 흘러내리는 것이 아닌가? 그리고 마지막 즙액이 짜인 자몽껍질은 마치 가루처럼 조각조각 쪼개진 상태로 바닥에 흐트러져있었다. 사람들은 그 순간 경악의 눈초리로 서로를 쳐다보며 할 말을 잊었다.

당신 도대체 무슨 일을 하는 사람입니까? 저요! 저는 이 지역의 세금 징수원입니다. 아악! 그러면 그렇지! 저렇게 고무같이 되어버린 귤껍질에서 즙액을 쥐어짜 낼 사람이라면...]

다행히도 우리는 이 일화로부터, 앞서 말한 만물상의 진화가 화가에 의해 어떤 과격한 예술적인 "처리"를 당했는가에 관한 이해의 실마리를 얻어낼 수 있었다.

우선 회화 <만물상 반구상>에서, 반원의 산봉우리들이 만들어내고 있는 묵흑(墨黑)의 행렬은, 마치 신선들의 부채같이 그것만으로도 이미 평범한 반구상화가 아니다. 이미 여러 번 쥐어 짜여 퍼들퍼들한 고무같이 되어버린 귤껍질 같은 만물상은, 벌써 산이 지닌 최소한의 구상적인 징후조차 간직하지 못하고 있다. 이러한 일차적인 혹은 이차적인 추상(抽象 : Abstraction)을 당한 만물상은, 그럼에도 불구하고 여전히 산이라고 불릴 수 있는 최후의 이미지를 구성하고는 있다.

하지만, 회화 <만물상 비구상>에 와서는, 만물상은 화가에 의해 더 이상 쥐어짜기라는 추상(抽象)과는 다른 차원의 추상을 당한 게 분명한 것처럼 보인다. 그것은 마치 앞의 에피소드에서 갑자기 나타난 세리(稅吏)에 의해 전혀 차원이 다른 쥐어짜기를 당하여 산산조각이 나버린 귤껍질 같은 경우가 되어버린 것이다.

이러한 라디칼한 추상화(抽象化)는 단순히 쥐어짜기라는 표현만으로는 불충분한 어떤 종류의 과격한 예술적 행위이다. 그것은 오히려 대상을 쥐어짜는 것이 아니라, 이미 스펀지나 고무가 되어버린 만물상을 통 채로 시멘트 바닥에다 다시 온 힘을 다해 <패대기>치는 것과 같은 짓이라 볼 수 있겠다.

이러한 화가의 과격한 추상화라는 극단적 예술행위는, 귤껍질의 쥐어짜기 차원의 추상화가 아니라, 비유하자면 살을 다 뜯어 먹은 닭 뼈를 다시 시멘트 바닥에 패대기쳤을 때에 드러나는, 삐죽삐죽 날카롭게 찢겨지는 닭 뼈의 본원적 성질을 표현하는 행위이다. 따라서 겉으로 봐서는 같은 뼈이지만, 닭 뼈는 그런 숨겨진 속성 때문에 닭 뼈를  삼키는 강아지들의 목을 찔러 죽게 만들기 때문에 개들에게는 닭 뼈를 주면 안 되는 것이다.

그러므로 작가는 닭 뼈의 경우처럼, 만물상의 본원적 속성 내지는 본원적 성질을 드러내기 위해서, 이와 같이 두 번에 걸친 라디칼한 추상을 위해, <만물상 패대기>라는 극단적인 추상방식을 택하게 된 것이다.

그렇다면, 이런 급진적이고도 과격한 추상화를 통해 얻어진, 만물상의 진화된 이미지는 과연 어떤 성질이나 속성을 내보이는 것일까?

먼저, <만물상 반구상>에서는 이미 고무화한 귤껍질처럼, 수많은 산봉우리들은 그 경직된 날카로움을 상실하고서 단아한 반원의 부채를 든 선녀들의 군집 같은 우아한 형상을 내보이고 있다.

구체적 대상으로서의 산들은 이제 그 위태로운 직선들을 벗어던진 채 안전하기 그지없는 반원의 곡선들로 진화하였다. 그것은 마치 작가가 그리도 오랜 세월 동안 탐색해왔던 '곡선공동체'라는 평화로운 공존의 가치를 표상하는 상징들이라고 할 수 있겠다.

그와 동시에 반구상의 이미지로 진화된, 만물상의 이러한 라디칼(급진적인)한 변모는, 현실에 국한되는 만물상이 갖는 시간성을 연속적인 시간의 장구함으로 변모시키는 또 다른 축에서의 물리학적 진화를 가져왔다

즉, 달리 말해서 구상화에서의 만물상이 지니는 현실적인 모습이, 이런 급진적인 진화 후에는, 초시간적인 항상성(恒常性:homeostasis)이라는 형질을 획득하게 되었다는 것이다. 그 결과 우리는 현재 눈앞에 실존하는 만물상이 아닌, 과거-현재-미래에 걸쳐서 영속적으로 항존(恒存)하는 만물상의 이미지를 보게 되었다는 말이다.

이어서, <만물상 비구상>에 와서는 이제 만물상의 실체는, 모든 시공간의 패러미터 (parameter : 매개변수)들이 사라져버린, 즉 시간과 공간이 존재하기 이전의 시공-선험성의 단계로까지 역행적으로 진화하는 현상을 내보이고 있다.

이러한 상태는, 이를 우주진화의 모델에 비유하자면, 특이점

(singularity)이 은하들로 진화되기 직전의 상태, 즉 빅뱅 직후의 인플레이션(Inflation) 단계에서의 형상을 보여준다고 말할 수 있겠다.

시멘트 바닥으로 사정없이 "패대기"쳐진 닭 뼈 신세의 만물상이 갖게 된 '실재(Reality)'는 이제 더 이상 현실적인 실재의 모습일 수가 없다. 패대기쳐져서 삐죽삐죽 찢겨진 닭 뼈가 현실적인 닭 뼈의 모습이 아닌 것처럼! 그것은 시간과 공간이 생기기도 전의, 혹은 시공이 함께 정지된 상태에서의 만물상의 실재를 표상하는 이미지인 것이다.

이것은 또한 만물상의 원형이나 본질과도 거리가 먼 형상이다. 그러한 만물상의 이미지는, 만물상의 원형도 아니고 본질도 아닌, 시-공적 차원에서의 진화의 출발점이 보여주는 '선험적인(先驗的 : transcendental)' 이미지일 뿐이다. 그것은 시공과 공간이 정지한 채로 서로 거미줄처럼 얽혀있는 시공통일체의 모형 같은 것이다. 시간과 공간이 상호 분리되기 전의, 삼라만상의 우주적 진화의 출발점에 해당한다는 말이다.

이렇게 하여, 작가는 만물상의 '실재'가 지닌 다차원의 형상들을 오랜 명상 끝에 마침내 회화적 이미지로 구현해낼 수 있었던 것이다. 이러한 구현을 위해 작가는 매일 새벽 참선하고 구도하는 수행을 이어왔다. 사물들의 본질과 원형조차도 초월하는 선험적인 시공간에서의 오브제의 '실재'를 구현하려는 작가의 노력은 마침내 그 결실을 보게 되었다. 그것은 바로 스피노자(Spinoza)가 말했던 바인, <永遠의 相下에서 (sub specie aeternitatis)> 바라본 '실재'의 모습이자 '만물상'의 모습이었던 것이다.

① 만물상 구상

② 만물상 반구상

③ 만물상 비구상

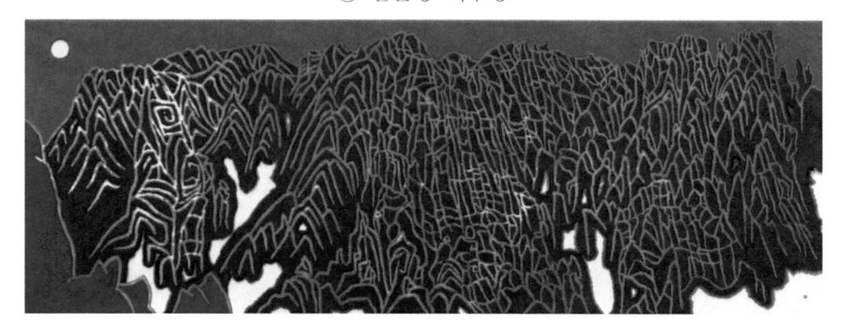

# 백두산(白頭山)

隣(Rhin)-백두산일출(白頭山日出), 24×29.5cm, 한지, 먹, 채색, 2002년 作

■ <백두산 스케치 기행 1>

천지(天池)를 굽어보며 분단(分斷)의 아픔을 더욱 절감하여 죽기 전에 꼭 한번 찾아보리라던 백두산(白頭山)을 향하여 김포공항을 빠져나온 것은 1991년 7월 30일이었다. 홍콩, 계림(桂林), 북경(北京), 장춘(長春)을 거쳐 연길(延吉)에 온 것은 떠난지 6일째 되는 날이다. 이곳에서 백두산까지는 280km(중국에서 1km를 2리로 한다) 여간 먼 거리가 아니었다.

백두산 기상(氣象)이 하루에도 몇 번씩 변화가 있어서 오늘처럼 날씨가 좋은 날 다녀오는 것이 좋겠다는 안내자의 권유에 따라 여행사에서 제공한 미니버스로 공항에서 바로 백두산을 향했다. 시내를 벗어나자 대부분 비포장도로였지만 잘 다듬어 있어 가는데 큰 어려움은 없었다. 굽이진 산모퉁이를 수없이 돌고 넓은 초원이 계속 이어지는가 하면 계곡을 지나 울창한 원시림(原始林)을 오르내리기도 하며, 장장 다섯 시간을 달려가니 백두산 정상(頂上)만을 다니는 짚차 대기조가 기다리고 있었다. 우리 일행(一行)은 그 차를 이용하여 경사진 길을 얼마쯤 굽이굽이 올라가니 더이상 올라갈 곳 없는 질펀한 민둥산이 눈앞에 와 닿았다. 백두산 정상이라 직감(直感)하고 단숨에 올라보니 눈앞에 펼쳐있는 장관(壯觀)은 기상천외(奇想天外)한 것이었다.

사진으로만 보아왔던 백두산이 현실로 살아 꿈틀대듯 눈부시게 다가오고 있지 않는가! 형언(形言)할 수 없는 웅대(雄大)함에 가슴이 터질듯한 절경(絶景), 거대한 천지를 에워싼 깎아내린 듯한 장엄(莊嚴)한 봉우리들, 어느하나 신비스럽지 않음이 없으니 이 벅찬 감동을 어찌 말로 글로 다 표현할까 !

① 隣(Rhin)-백두산과한민족(白頭山과韓民族), 184×134cm, 한지, 먹, 채색, 1995년 作
② 隣(Rhin)-백두산천지1(白頭山天池1), 15×182cm, 한지, 먹, 채색, 1991년 作
③ 隣(Rhin)-백두산등정(白頭山登程), 34×42cm, 한지, 먹, 채색, 1992년 作
④ 隣(Rhin)-백두산천지2(白頭山天池2), 69×87cm, 한지, 먹, 채색, 1993년 作
⑤ 隣(Rhin)-백두산천지3(白頭山天池3), 71×201cm, 한지, 먹, 채색, 1992년 作
⑥ 隣(Rhin)-백두산천지4(白頭山天池4), 34×44cm, 한지, 먹, 채색, 1992년 作

①

②

③

④

⑤

⑥

■ <백두산 스케치 기행 2>

천지를 굽어보며~
1991년 8월 4일 오매불망(寤寐不忘) 기다려왔던 백두산(白頭山) 정상(頂上)에 올라 천지(天池)와 마주하니 그 감개무량(感慨無量)함을 어찌 필설(筆舌)로 형언(形言)할까!

하늘은 구름 한 점 없는 티없이 맑고 청명(淸明)한데, 상상(想像)을 뛰어넘는 웅장(雄壯)한 천지 앞에 감탄(感歎)이 절로 나왔다. 군청색(群靑色)을 드리운 엄청난 규모(規模)의 천지의 장관(壯觀)은 태고적(太古的) 신비(神秘)로움을 고스란히 간직하고 있었고, 눈부시게 다가오는 다섯 개의 준봉(峻峰)들이 병풍(屛風)처럼 둘러처져 그 위용(威容)은 당당함을 넘어 장엄(莊嚴)하기 그지없다.

한동안 넋을 잃고 백두산 천지의 감동에 흠뻑 빠져들었다. 아차! 그 감동을 놓칠세라 스케치북을 펼쳤고 마음 가득 카메라에 담기도 했다. 예측(豫測)할 수 없는 이곳 기상때문에 서둘러야만 했다. 대부분 사람들은 몇 번이고 이곳을 찾아왔어도 천지를 한 번도 못보고 돌아간다는데, 꿈에 그리던 천지를 이렇게 단 한번 만나 맑은 날을 마주하니 억세게 운(運)이 좋은 편이다. 역시 나는 복(福)이 많은 사람인 것 같다. 잠시 저 건너 백운봉(白雲峰) 넘어 우리 땅 밟고 언제 이곳에 다시 한번 올까 생각하니 만감(萬感)이 교차(交叉)한다.

① 隣(Rhin)-백두산천지(白頭山天池), 93×122.5cm, 한지, 먹, 채색, 1991년 作
② 隣(Rhin)-백두산천지(白頭山天池), 66×66.5cm, 한지, 먹, 채색, 1992년 作
③ 隣(Rhin)-어백두산(於白頭山), 44.5×68cm, 한지, 먹, 채색, 1991년 作
④ 隣(Rhin)-백두산소견(白頭山所見), 83.5×102cm, 한지, 먹, 채색, 1992년 作

①

②

③

④

■ <백두산 스케치 기행 3>

하산(下山)할 무렵 갑자기 먹장 같은 구름이 몰려오더니 순식간에 천지(天池)를 집어삼켰다. 그리고 비가 억수같이 쏟아지는데 무서우리만큼 공포감(恐怖感)이 엄습(掩襲)해 왔다. 일행(一行)과 서둘러 차에 올라 급히 하산하여 장백폭포(長白瀑布)를 찾았을 때는 비는 그치고, 언제 그랬냐 싶을 정도로 구름은 걷혀 하늘은 맑았다. 비가 온 뒤라 초입(初入)부터 안개가 자욱하게 내려앉아 계곡(溪谷) 깊숙이 자리하고 있는 웅장(雄壯)한 폭포(瀑布)와 어우러져 한마디로 선경(仙境)에 와 있는 듯했다. 거대(巨大)한 비단폭을 드리운 듯 한 흰 물줄기와 굉음(轟音)은 천지를 진동(震動)하는데 근처 온천수(溫泉水)에 달걀을 삶는 아낙네들 모습들은 마치 선녀(仙女)들이 내려와 노니는 듯하다.

이제 꿈같은 현실 속에서 백두산을 올랐으니 여한(餘恨)이 없을 만큼 뿌듯하지만, 그래도 마음 한구석을 울적하게 만든 것은 바로 건너다 보이는 땅이 우리 영토(領土)라는 사실 때문이다. 내 나라 땅을 밟고 오면 하루만에 찾을 수 있는 지름길을 두고, 이역만리(異域萬里) 돌고 돌아 몇 날 밤을 보내면서 찾아오지 않았던가!

비단 분단(分斷)의 아픔이야 이뿐이랴 마는 막상 이곳에 와 보니 더욱 절감(切感)하게 된다. 다시금 통한(痛恨)의 아픔을 삼키면서 하루속히 조국(祖國)이 통일(統一)되어 하나 되는 날 이곳을 다시 찾으리라는 소망(所望)을 안고 차마 떨어지지 않는 발길을 돌려야만 했다.

① 隣(Rhin)-백두산장백폭포(白頭山長白瀑布), 68.5×83.5cm, 한지, 먹, 채색, 1993년 作
② 隣(Rhin)-白頭山天池(백두산천지), 69.5×120cm, 한지, 먹, 채색, 1991년 作
③ 隣(Rhin)-신미년백두산(辛未年白頭山), 76×148cm, 한지, 먹, 천연혼합채색, 2021년

①

②

③

■ 隣(Rhin)-신미년 팔월 백두산(辛未年 八月 白頭山)

작품 "신미년 팔월 백두산"은 백두산(白頭山) 천지(天池) 탐방을 마치고 돌아와 작화(作畵)한 20여점 백두산 그림 중 가장 큰 대작(大作/변형 500F)이다. 천연혼합채색으로 "푸른밤 금강산" 작업 못지않게 오랜시간이 소요되었다. 수묵 작업을 비롯하여 페인팅하는데만 족히 6개월이 소요됐으니 회심의 역작(力作)이라 할 수 있다. 바탕이 한지가 아닌 천(cotton)인데다 토분(土粉)과 연분(硯粉), 도자(陶瓷) 안료(顔料)등 천연물감을 혼합(混合)해서 채색하는 작업이라 한 두번 붓질해서 될 일이 아니다. 경우에 따라 몽당붓으로 다섯 번 이상 페인팅해야 겨우 원하는 색감을 얻을 수 있으므로 도(道) 닦는 마음으로 작업에 임했다. 꼬박 6개월 만에 얻은 작품이기도 하지만 그 어느 그림과도 비견(比肩)되지 않을 만큼 애정이 간다.

백두산 등정(登程)했을 때는 구름 한 점 없이 맑고 쾌청하여 군청색을 드리운 거대한 천지(天池)가 눈부시게 다가왔다. 그 오묘(奧妙)하고 신비(神秘스러운 물빛에 감탄이 절로 났다. 병풍처럼 둘러있는 웅대한 산세(山勢)들과 천지가 어우러져 장엄(莊嚴)하기 그지없다. 벅찬 감동과 경이로운 비경(秘景) 앞에 그저 넋을 잃고 멍하니 바라보고만 있었다. 얼마쯤 지났을까 정신차리고 보니 함께 한 화우들이 화구를 꺼내어 찍고 스케치하느라 부산했다. 가이드가 하는 말이 몇차례 다녀가도 오늘같이 맑은 날을 누구나 만나기는 드문 일이라면서 복 받은 사람에게만 주는 행운(幸運)이라 한다.

하산할 무렵 어디서 몰려왔는지 먹장구름이 순식간에 천지를 뒤덥더니 굵은 장대비가 쏟아졌다. 정말 운 좋은 사람만이 볼 수 있구나 하는 생각이 불현듯 인다. 보람과 감사함을 가득 안고 돌아와 당시 현란한 백두산 천지의 현장감을 떠올리면서 번안하고 재해석하여 탄생된 그림이 "신미년 팔월 백두산(辛未年 八月 白頭山)"이다.

① 隣(Rhin)-신미년 팔월 백두산(辛未年 8月 白頭山), 151×430cm, 한지, 먹, 채색, 2011년 作
② 隣(Rhin)-백두산 소견(白頭山 所見), 70×179cm, 한지, 먹, 채색, 1992년 作
③④ 백두산에 올라/1991년 8월 어느날

①

②

③

④

■ 隣(Rhin)-백두산 장백폭포(白頭山 長白瀑布)

천지(天池)에서 하산할 때 먹장구름이 몰고 온 장대비가 산 아래 장백폭포(長白瀑布) 초입에 들어서자 비는 그치고 계곡 전체가 운무로 가득하다. 웅장한 협곡(峽谷) 사이로 암갈색(暗褐色)을 드리운 엄청난 규모의 바위산이 압권(壓卷)이다. 폭포(瀑布)를 향해 오르다 보면 이상하게도 땅속에서 모락모락 수정기가 피어오르는 광경을 만난다. 알고 보니 온도가 가장 높은 83℃나 되는 유황(硫黃) 온천(溫泉) 지대라고 한다. 안개가 자욱한 협곡에서 만난 계란 삶는 여인들이 마치 선녀처럼 보였다. 신선(神仙)이 살법한 선경(仙境) 그대로다. 깊이 들어갈수록 폭포의 굉음(轟音)은 압도되어 다가왔다. 가까이 가니 흰 천을 드리운 듯 거대한 물줄기가 천지를 진동(震動)하며 쏟아져 내리고 있다. 장대(壯大)한 폭포는 수직암벽을 때리면서 힘차게 떨어진다. 천지(天池)에서 내려오는 물줄기가 거대한 폭포를 만들고 있었다.

"천지를 감싸는 천문봉과 용문봉 사이에는 가파른 절개( 切開)가 있는데 이 틈으로 천지에서 물이 천천히 흘러 나온다. 물이 흐르다가 불어나고 합쳐져 장백폭포의 거대한 두 개의 물줄기를 만들어 낸다" 장백폭포는 세계에서 가장 긴 화산(火山) 폭포라 알려진 비폭(飛瀑)이다. 장엄(莊嚴)한 협곡과 거대한 폭포가 만들어 낸 심오(深奧)한 자연의 하모니를 가슴에 담고 돌아와 운필(運筆)한 작품이 장백폭포(長白瀑布) 연작(連作)이다.

① 隣(Rhin)-백두산장백폭포(白頭山白瀑布), 69×44cm, 한지, 먹, 채색, 1992년 作
② 隣(Rhin)-백두산장백폭포(白頭山白瀑布), 68×46m, 한지, 먹, 채색, 1992년 作
③ 隣(Rhin)-백두산장백폭포(白頭山白瀑布), 71.5×83.5cm, 한지, 먹, 채색, 1992년 作
④ 隣(Rhin)-백두산장백폭포(白頭山白瀑布), 68.5×82cm, 한지, 먹, 채색, 1993년 作
⑤ 隣(Rhin)-백두산장백폭포(白頭山白瀑布), 69×44cm, 한지, 먹, 채색, 1992년 作
⑥ 隣(Rhin)-백두산장백폭포(白頭山白瀑布), 68×46cm, 한지, 먹, 채색, 1992년 作
⑦ 隣(Rhin)-백두산장백폭포(白頭山白瀑布), 53.5×68.5cm, 한지, 먹, 채색, 1992년 作
⑧ 隣(Rhin)-백두산장백폭포(白頭山白瀑布), 33.5×41.5cm, 한지, 먹, 채색, 1992년 作

① 

② 

③ 

④

⑤

⑥

⑦

⑧

# 산, 소나무, 달

산, 소나무, 달, 70×90cm, 한지, 먹, 천연혼합채색, 2011년 作

■ 隣(Rhin)-산, 소나무, 달

내 그림의 테마가 되었던 곡선미학(曲線美學)은 금강산(金剛山)이라는 대명제(大命題)를 만나 일대 변혁기(變革期)를 맞는다. 나의 조형언어(造形言語)인 곡선화법(曲線畵法)으로 금강산 작업에 접목(接木)시켜 새로운 산의 형상을 발현함으로써 나의 회화(繪畵)에 새로운 이정(里程)을 열게 된 것이다. 곡선의 심미감(審美感)은 금강의 진면목(眞面目)에 한 걸음 더 다가설 수 있었고, 산세(山勢)의 새로운 운필(運筆)을 표출(表出)할 수 있었다고 감히 말하고 싶다. 어느 미술애호가는 "북한(北韓) 작가들의 산수화풍(山水畵風)인 금강산 그림은 비슷비슷한데 반해, 임무상의 곡선미학(曲線美學)은 새로운 금강산을 창출했다"고 호평(好評)하기도 했다.

"자연(自然)은 직선(直線)이 없으며 곡선(曲線)이다"라고 했던가! 대자연(大自然)은 곡선미의 조화라고 할 수 있으며, 따라서 자연스러움은 작화의 기본 요건(要件)이기도 하다.

<산, 소나무, 달>은 지금까지 추구(追求)해 온 방법(方法)에서 일정 부분 소재(素材)나 틀에서 벗어나, 보다 자유롭게 유희(遊戱)하고 관조(觀照)했다고나 할까? 오랫동안 많은 스케치를 통해 얻어진 풍광(風光)이나 형상(形象)들을 탐구(探究)하고, 재해석(再解析)하여 탄생 된 작품들이다. 하나의 테마나 어떤 유형(類型)의 방법이나 아류(亞流)에 국한(局限)되지 않고, 보다 자유롭고 자연스러움에 접근해 보기 위한 시도(試圖)라고 볼 수 있다. 다시 말해서 곡선으로 본 자연의 아름다움을 오랫동안 추구해 온 나의 조형언어인 곡선미학으로 다양하게 풀어 본 작업들이라 하겠다.

작품 "隣(Rhin)-산, 소나무, 달"은 다름 아닌 것이며, 상징적(象徵的)인 대표작(代表作) 중의 하나이다.

□ 隣(Rhin)-산,소나무,달, 128×48cm, 한지, 먹, 천연혼합채색, 2011년 作

■ 隣(Rhin)-야상곡(夜想曲)/Korean nocturne

작품 "야상곡(夜想曲)/Korean nocturne"은 산, 소나무, 달 그리고 폭포를 소재(素材)로 조합(組合)하고 구성(構成)하여 한국적 정서를 표출(表出)한 작품이다.

실은 금강산(金剛山)에서 받은 감명(感銘)을 바탕으로 우리의 정서(情緖)와 감흥을 담은 밤의 오묘한 미감(美感)을 운필(運筆)한 것이다.

전면(前面)에 굽은 소나무를 배치(配置)하고 힘차게 내리쏟는 폭포의 위용(威容)이 달빛에 유난히 빛난다. 그 장엄(莊嚴)하고 소쇄(瀟灑)한 산의 엄연(儼然)한 자태(姿態), 그리고 우리만의 심오(深奧)한 밤의 정취(情趣)를 담으려고 했다. 화면(畵面) 가득히 푸른빛깔을 차용(借用)한 것은, 보다 깊은 밤의 맛과 멋을 심도(深度)있게 표출해 보려함이다.

빛(色)은 눈으로 볼 수 있지만, 마음으로 볼 수 있는 빛(色)이 있다. 그러므로 눈으로 볼 수 있는 풍경(風景)이 있는가 하면 눈으로 볼 수 없는 풍경이 있다. 그것은 마음으로 볼 수 있는 풍경을 말함이다.

작품 "야상곡(夜想曲)/Korean nocturne"은 다름아닌 것이며, 바로 마음속에 자리하고 있는 심미안적(審美眼的) 풍경인 것이다.

① 隣(Rhin)- 야상곡(夜想曲)/Korean nocturne, 75×124cm, 한지, 먹, 천연혼합채색, 2012년 作
② 이태리 Padova, abano 아트시마 갤러리 임무상초대전에서

①

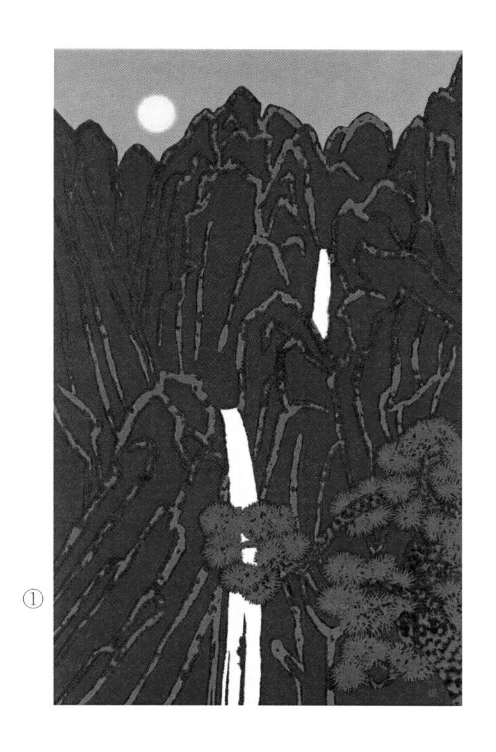

②

■ 隣(Rhin)-산운(山韻)

산은 깊은 비밀(秘密)을 간직한 채 하늘을 찌를 듯한 굵은 준(峻)을 묘사(描寫)한 산의 뼈대 위에 우직하면서도 힘이 솟구치는 그러면서도 후덕(厚德)하고 부드러운 곡선(曲線)을 접목(接木)하여 산(山)이 되고, 그 바탕이 푸른빛으로 감싸 신비감(神秘感)을 더했다.

따라서 나의 조형언어(造形言語)인 곡선미학(曲線美學)을 인용(引用)하여 새로운 산의 이미지를 구현(究現)해 본 것이라 할 수 있다. 하단(下端) 오른쪽 아래 푸른 송림(松林)에 숨어 있던 쌍학(雙鶴) 두 마리가 푸드득 솟구치며 산의 고요한 정적(靜寂)을 깨트린다. 적막강산(寂寞江山)에 역동성(力動性)을 보여주며 왼쪽 하단(下端)에 피어오르는 짙은 운무(雲霧)와 어우러져 음운(音韻)과도 같은 하나의 하모니를 이룬다.

산등선에 매달린 반달(心月)은 깊은 산중의 운치(韻致)를 더해주면서 전체적(全體的)으로 그림의 안정감(安情感)을 꾀했다. 아울러 내 마음속의 내재(內在)되어있는 심미감(審美感)과 평온(平溫)함이 노정(露呈)된 작품이라 할 수 있다.

또한 작품 "산운(山韻)"은 관념(觀念)과 심상적 소재를 조합하여 구성한 그림으로서 한마디로 뭐라 정의할 수 없지만, 민화(民畵)에서 볼 수 있는 축복(祝福)과 기원(祈願)을 내포(內包)한 그림이기도 하다.

년전(年前)에 문경옛길박물관 초대전(招待展)에 출품(出品)한 작품으로 우리 고향 문경(聞慶) Cultureum 문화공감(文化共感) 소창다명(小窓多明) H관장님이 소장(所藏)한 작품이다.

□ 隣(Rhin)-산운(山韻), 73×106cm, 한지, 먹, 천연혼합채색, 2011년 作

■ 隣(Rhin)-조령(鳥嶺) 교귀정(交龜亭)

내 고향 문경(聞慶)이 자랑하는 관광지인 새재 길에 자리하고 있는 조령(鳥嶺) 교귀정(交龜亭)은 길손들이 쉬어가는 쉼터 같은 명소(名所)이다. 삼삼오오(三三五五) 짝을 지어 고향(故鄕) 친구들과 수시(隨時)로 찾던 곳으로 아름드리 노거송(老巨松) 한 그루가 교귀정(交龜亭) 앞에서 반갑게 맞아준다.

그야말로 용트림하듯 굽어진 고송(古松)의 위용(威容)은 천하(天下) 일품(一品)이다. 이 멋진 소나무와 어우러져 고태미(古態美)가 배어있는 교귀정(交龜亭)의 운치(韻致) 또한 단연 압권(壓卷)이다.

교귀정(交龜亭)은 옛날 신(新), 구(舊) 경상감사(慶尙監事)가 만나 업무(業務)를 인수(引受) 인계(引繼)하던 곳으로 유명하다. 특히 "문경(聞慶) 새재(鳥嶺) 달빛 사랑 걷기 행사(行事)"에 참가(參加)해 보면 소쇄(瀟灑)한 밤(夜)의 정취(情趣)와 특별한 청량감(淸凉感)이 묻어나는 태고적(太古的) 신비(神秘)를 고스란히 음미(吟味)할 수 있을 것이다.

춘하추동(春夏秋冬) 그 풍치(風致)가 시시각각(時時刻刻) 변하여 오묘(奧妙)한 아름다움과 운치(韻致)에 동화(同和)되어 갈 때마다 수시(隨時)로 드로잉하거나 스케치를 즐겼다.

작품 "조령(鳥嶺) 교귀정(交龜亭)"은 새재의 달빛 사랑의 감흥(感興)을 번안(飜案)하고 재해석(再解析)하여 표출(表出)된 문경(聞慶) 새재(鳥嶺)의 야상곡(夜想曲)이다.

① 隣(Rhin)-조령(鳥嶺) 교귀정(交龜亭), 73.5×93cm, 한지, 먹, 천연혼합채색, 2014년 作
② 조령(鳥嶺) 교귀정(交龜亭) 사진

①

②

■ 隣(Rhin)-야상곡(夜想曲)/Korean nocturne

한 여름밤 노거수(老巨樹) 아래 전형적(典型的)인 사당(祀堂)을 배치하고 휘영청 밝은 달을 창공에 매달아 교교(皎皎)한 밤의 정취를 묘사한 작품이다. 노거수 잎이 무성한 것은 한여름 밤을 강조함이요, 사당 위에 내려앉은 하얀 달빛은 눈이 부실만큼 야반삼경(夜半三更)의 을씨년스러움을 표현한 것이다.

문득 송나라 시인 소강절(邵康節)의 시(詩) "청야음(淸夜吟)"이 떠오른다.

<월도천심처(月到天心處) 풍래수면시(風來水面時) 일반청의미(一般淸意味) 료득소인지(料得少人知) 휘영청 밝은 달이 하늘 가운데 이를 때, 바람은 물 위에 살포시 내려앉을 무렵이면 일반적으로 그 야반삼경의 심오(深奧)한 정취(情趣)와 밤의 청정(淸淨)한 묘미(妙味)를 헤아리는 사람은 그리 많지 않더라>

작품 "야상곡(夜想曲)/Korean nocturne"은 이와 같은 의미를 담아 운필한 작품으로 우리의 전통문화(傳統文化)가 바탕이 되어 구성한 우리다운 밤의 풍정(風情)을 "코리안 야상곡"이라 이름 붙인 것이다.

□ 隣(Rhin)-야상곡(夜想曲)/Korean nocturne, 72×48cm, 한지, 먹, 천연혼합채색, 2014년 作

■ 隣(Rhin)-야상곡(夜想曲)/Korean nocturne

지금 살고있는 우리 마을 남양주시 금곡동(金谷洞)에는 대한제국 고종(高宗)과 명성황후의 무덤인 홍릉(洪陵)과 순종(純宗)과 두 황후의 무덤인 유릉(裕陵)이 있다. 이름하여 홍유릉(洪裕陵)이라 하는데 우리 마을 이름을 따서 금곡릉(金谷陵)이라고도 부른다.

홍유릉 안에는 아름드리 노송(老松)들이 있어 사시사철 수시(隨時)로 찾아 스케치를 즐겼고, 릉(陵) 안팎 담장 넘어 호젓한 둘레길은 그림 소재들이 많아 자주 찾는 곳이다. 그 운치(韻致) 또한 특별하여 평일(平日)에도 산책(散策)을 즐기거나 조깅하는 분들이 많지만, 주말(週末)에는 제법 많은 사람들이 몰려온다.

특히 둘레길에는 소나무 군락지(群落地)가 있어 송욕(松浴)을 즐길 수 있는 청정지역(淸淨地域)이라 명소 중의 명소다. 또한 홍유릉 주변에는 영친왕을 비롯하여 의친왕, 덕혜옹주 묘(墓) 등 이조(李朝) 왕손(王孫)들이 곳곳에 모셔져 대한제국(大韓帝國) 황실(皇室)의 가족(家族) 묘역(墓域)과 같은 역할을 한다.

작품 "코리안 야상곡(夜想曲)"은 둘레길 중간 지점에 자리하고 있는 영친왕(英親王) 묘역인 영원(英園) 제실(祭室) 근처 풍치(風致)를 모티브로 했다. 제실 앞 멋진 노거송(老巨松) 한그루와 소나무 가장자리 위에 걸려있는 밝은 둥그런 달과 어우러지게 하여 우리의 고유한 맛이 베어나오는 밤의 정취(情趣)를 담아 보려 했다. 깊은 밤의 적요(寂寥)한 묘미(妙味)와 서정성(抒情性)을 구현(究現)한 작품이라 할 수 있으며, 내가 아끼는 작품 중의 하나이다.

□ 隣(Rhin)-야상곡(夜想曲)/Korean nocturne, 94.5×58cm, 한지, 먹, 천연혼합채색, 2012년 作

■ 隣(Rhin)-산, 소나무, 달 / 굽은 소나무

전형적인 산, 소나무, 달 테마의 상징성을 명징(明徵)하게 보여주는 작품이라 하겠다. 산고수장(山高水長)이란 어쩌면 우리의 산천을 대변하는 말일지도 모른다. 산이 많은 우리나라는 보편적 높은 산이 많다. 산세가 빼어난데다 사계(四季)가 뚜렷하여 어느 나라에서도 비견될 수 없을 만큼 우리나라만의 특성이 있는 산의 심미감을 담아 금수강산(金繡江山)이라 일컬어오지 않았나 싶기도 하다. 바로 그 경관을 바탕으로 어느 사찰 경내에서 스케치해온 멋지게 굽은 소나무 한 그루를 모셔와 전면 오른쪽 산언덕에 옮겨놓았고, 산꼭대기 언저리에서 솟아오르는 핑크빛 만월은 내 마음의 달(心月)이다.

"굽은 소나무가 선산을 지킨다"는 말이 있다. 모양새가 허리를 굽혀 공손함을 나타내 주기 때문에 나온 말이 아닌가 싶기도 하다. 늘 푸른 소나무의 상징성(象徵性)은 차치하고라도 인고(忍苦)의 세월을 견뎌 온 굽은 소나무에서 우리의 민족성을 엿볼 수 있다. 유구한 역사를 돌아볼 때 대내외적(對內外的)으로 숱한 외침(外侵)과 내란(內亂)을 겪으면서도 굳건히 이어져 오는 우리의 민족사(民族史)를 고스란히 대변해 주는 듯하다. 그래서인지 나는 굽은 소나무가 좋다.

작품 "산, 소나무, 달 그리고"는 다름아닌 우리의 감성과 정서가 고스란히 녹아있는 결과물(結果物)이라 할 수 있다. 년전에 몽골 울란바토르에서 있었던 한, 몽골 교류전에 출품하여 주목을 받았던 작품으로서 2023년 H그룹 신년 VIP 연하카드에 선정되기도 했다.

□ 隣(Rhin)-산, 소나무, 달, 58×73cm 한지, 먹, 천연혼합채색, 2019년 作

■ 隣(Rhin)-달마산(達磨山) 미황사(美黃寺)

오래전 어느 추운 겨울날 전라남도 해남군 송지면 달마산(達磨山) 미황사(美黃寺)에 1박 2일 여행을 다녀온 적이 있었다. 때가 때인 만큼 눈까지 쌓여 달마산을 등정(登頂)하지 못하고 돌아온 것이 아쉬움으로 남는다. "미황사라 한 것은 소의 울음소리가 지극히 아름다웠다고 하여 미자(美字)를 취하고, 금인(金人)의 빛깔을 상징(象徵)한 황자(黃字)를 택한 것"이라 한다. 또한 달마산은 예로부터 남쪽의 금강산이라고 불러 졌다. 그래서 태풍을 만나 표류해 온 송나라의 벼슬아치는 "해동고려국에 달마영산(達磨靈山)이 있어 그 경치가 금강산보다 낫다고 하여 구경하기를 원(願)하였더니 이 산이 바로 달마산이로구나" 라고 찬탄(讚歎)하였다고 한다.

역시 달마산 미황사는 창건(創建) 유래(由來)만큼이나 심오하고 아름다운 가람(伽藍)이었다. 밤새 눈이 내려 소복이 쌓인 경내(境內)는 속세를 떠난 이상세계(理想世界)에 와 있는 듯 했다. 설국(雪國)으로 변한 이른 아침의 맑고 깨끗한 청량감은 투명하리만큼 상큼하고 청정하다. 병풍처럼 둘러쳐진 기기묘묘(奇奇妙妙)한 산세와 어우러진 아름다운 이곳은 분명 선경(仙景)이었다. 스케치를 하고 가슴에 담아 돌아와 고스란히 그 감흥을 화폭(畵幅) 위에 옮겼다. 설경(雪景) 대신 운무(雲霧)를 차용(借用)하여 내가 느낀 감동을 번안(飜案)하여 운필(運筆)한 작품이 "달마산 미황사"이다.

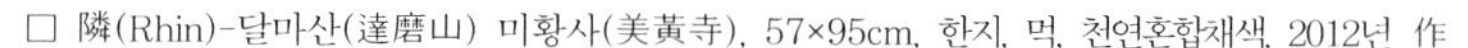
□ 隣(Rhin)-달마산(達磨山) 미황사(美黃寺), 57×95cm, 한지, 먹, 천연혼합채색, 2012년 作

■ 隣(Rhin)-산, 소나무, 달(山,松,月)
<파리 그랑 팔레(Grand Palais)>

작품 "산, 소나무, 달(山,松,月)1, 2"는 2012년 11월 파리 그랑 팔레(Grand Palais)에 출품(出品)했던 작품으로, 내게는 프랑스, 이태리 등, 유럽에 진출(進出)할 수 있었던 행운의 작품들이다. 대작(大作) 2점 중 한점(100F)과 소품(小品) 한 점은 "그랑 팔레"에 출품했고, 다른 대작 한 점은 숙소에 갖고 있다가 파리 셀렉티브 화랑(畵廊_ 테스팅(Testing)에서 선정(選定)되어 2013년 7월 한달 동안 초대전을 갖게 되는 계기를 만든 귀한 작품이다.

이듬해 2013년 6월 1일 파리에서 개인전(個人展)을 초대(招待) 받고 개막일(開幕日)인 7월 4일까지 한 달 남짓 전시 준비하느라 한마디로 초죽음이었다. 그림 선정이며, 경비 문제며, 작품운송 문제며, 여러가지 어려움이 있었지만 기간내 작품을 표구(表具)해서 보내는 일이 가장 큰 난재(難題)였다.

간절하면 이루어진다는 진리를 몸소 체험한 순간이었다. 결국 현지에서 표구를 하기로 결정이 되어, 선정된 작품 15점을 항공(抗空)으로 보낼 수 있게 되었고, 전시 준비로 한 달이 어떻게 지나갔는지 3kg가 빠져있었다. 그도 그럴 것이 국내에서 개인전을 치루려면 적어도 1년 내지는 몇 개월은 족히 걸려야 하는데, 국제전을 한달 내에 준비한다는 것은 불가능한 일이었다. 어쨌거나 운좋게 무사히 치룰 수 있었고, 좋은 반향(反響)을 얻어, 그해 12월 초순부터 년말 까지 거의 한 달 동안 이태리 Artssima Gallery 초대전으로 이어졌으니, 큰 축복(祝福)이 아닐 수 없다.

작품 "산, 소나무, 달"은 산고수장(山高水長)을 상징(象徵)하는 우리의 정서(情緖)와 미감(美感)을 담은 역작으로, 유럽 그림애호가들로부터 좋은 호평(好評)을 받았던 작품들이다.

① 隣(Rhin)-산,소나무,달(山,松,月), 175×112cm, 한지, 먹, 천연혼합채색, 2012년 作
② 이태리 Padova, Abano Artssima Gallery 초대전 개막식에서
③ 그랑 팔레(Grand Palais)에서
④ Paris, Selective Art Gallery

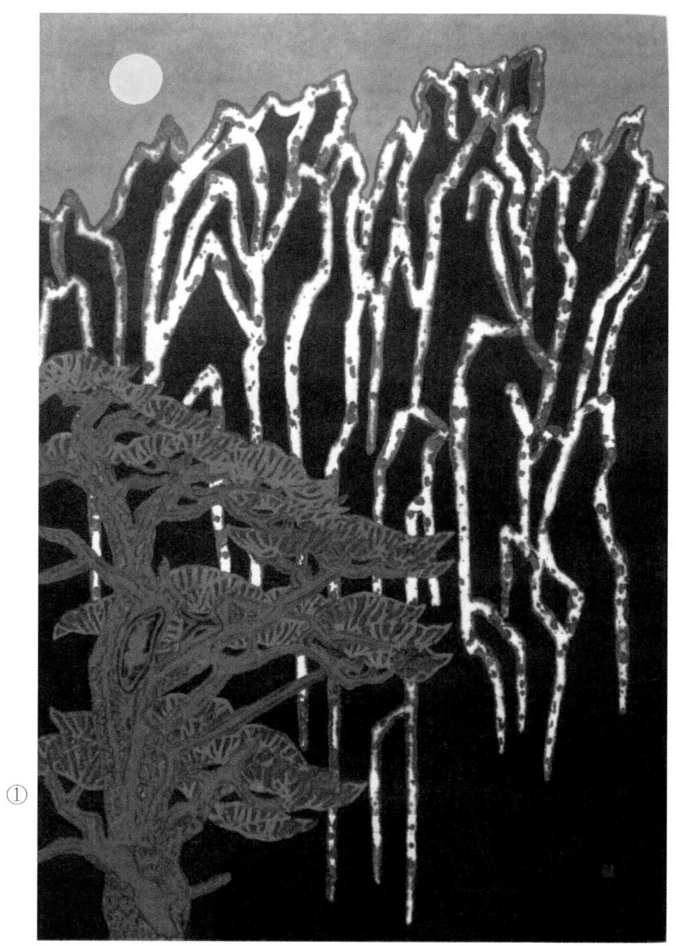

①

②

③

④

# 산(山)

Mountain(山), 36×27cm, 한지, 먹, 채색, 2005년 作

■ 隣(Rhin)-산운(山韻)

작품 "산운(山韻)"은 금강산을 모티프로 번안(飜案)한 근작(近作)이다. 2008년 금강산전(金剛山展, 조선일보미술관)에 출품한 금강별곡(金剛別曲, 47×58cm)을 재해석(再解析)하여 운필(運筆)한 대작(大作, 100F)이다.

곡선(曲線)에 생명력(生命力)을 불어넣어 호방(豪放)한 필선(筆線)으로 묵(墨)의 선염(渲染)에서 얻어지는 유현미(幽玄美)를 중시(重視)하였고, 천연혼합채색(天然混合彩色)에 내재(內在)돼있는 중후(重厚)한 빛깔(色彩)로 산의 장엄(壯嚴)함을 표현했다. 짙은 그린색과 연한 잿빛 하늘에 걸려있는 흰 달(心月)이 어우러져 운치(韻致)를 더하게 했다. 이 그림은 2021년 산경유무전(山徑有無展, 겸재정선미술관)에 출품(出品)한 작품이다.

□ 隣(Rhin)-산운(山韻), 142×173cm, 한지, 먹, 천연혼합채색, 2021년 作

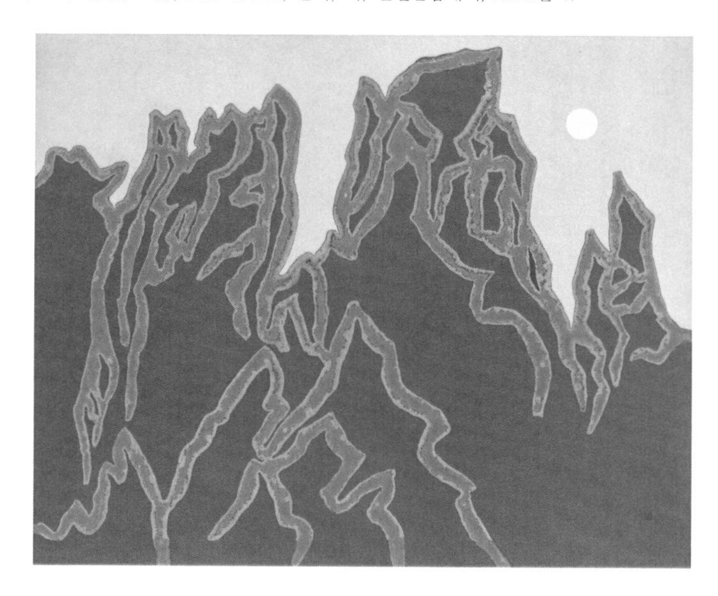

■ 隣(Rhin)-불암산(佛巖山)

노원(盧原)과 남양주(南楊州) 경계 지역에 자리하고 있는 불암산의 경치(景致)를 나름대로 재해석하여 표출(表出)한 작품이 "불암산(佛巖山)"이란 그림이다. 노원 쪽에서 바라본 불암산, 때는 늦가을이라 황토분(黃土粉)을 사용하여 만추(晩秋)의 색다른 분위기를 발현(發現)했다. 순전히 수묵(水墨)의 유현미(幽玄美)와 토분채색(土粉彩色)의 단순한 색감(色感)을 융합(融合)하여 오롯이 우리의 빛깔이 빛어나 올 수 있도록 포커스를 맞췄다.

나름대로의 감성(感性)을 디테일하게 접근하여 산의 진면목(眞面目)을 끌어내 보려 했고, 또한 한국화(韓國畫)의 독특한 담박(淡泊)한 맛을 표현하기 위해 시도(試圖)한 작품이다. 모쪼록 감상자(鑑賞者)로 하여금 공감대(共感帶)를 이끌어낼 수 있다면 작가로서 다시없는 보람이라 하겠다.

□ 隣(Rhin)-불암산(佛巖山), 95×55cm, 한지, 먹, 천연혼합채색, 2011년 作

■ 隣(Rhin)-"산(山)과 물(水)"

공동체(共同體)정신(精神)과 곡선미학(曲線美學)을 바탕으로 재해석한 산수(山水)의 근작(近作)이다. 그동안 지속적으로 작업해온 <산, 소나무, 달 그리고> 테마가 근간(根幹)이 되어 자연(自然)과 합일(合一)하여 새로운 이미지 창출(創出)의 일환(一環)으로 탄생된 작업이다.

작품 산수는 가시적(可視-的)인 형태에 매몰(埋沒)되지 않고, 본질적(本質的)인 만남에서 모색(模索)하고 탐구(探究)한 결과물이다. 가시적인 형상을 쫒지않고 사물에 대한 진면목(眞面目)을 표출(表出)하는데 작업의 목적이 있는 까닭에 산(山)은 산인데 실제로 있는 산이 아니요. 내 마음속에 자리한 심상적(心象的) 산, 즉 산의 상징성(象徵性)을 표상(表象)했을 따름이다.

물(水) 역시 물의 본질적(本質的)인 만남에서 나름대로의 직관(直觀)과 감흥(感興)을 좇아 접근하려 했다. 경치(景致)나 물상(物像)을 표현하여 아름다움을 구현(究現)하는 구상적(具象的) 발상(發想)은 왜 나는 재미가 없을까 생각해 보니 "싱겁다, 재미가 없다" 라는 자문자답이다.

본질(本質)의 내면을 좇아 들여다보려고 하는 심리적(心理的) 상태가 아이러니하게도 전혀 예상치 못한 작업을 만나게 된다. 그렇게 얻어진 비정형(非定型)의 세계를 좇아 그 내면의 본질적인 진면목에 매료(魅了)되어 운필(運筆)하다 보면 급기야는 내가 좋아하는 산(山)과 물(水)을 만나게 된다.

① 隣(Rhin)-물(水), 100x70cm, 한지, 먹, 천연혼합채색, 2023년 作
② 隣(Rhin)-산(山), 137x69cm, 한지, 먹, 천연혼합채색, 2023년 作

①

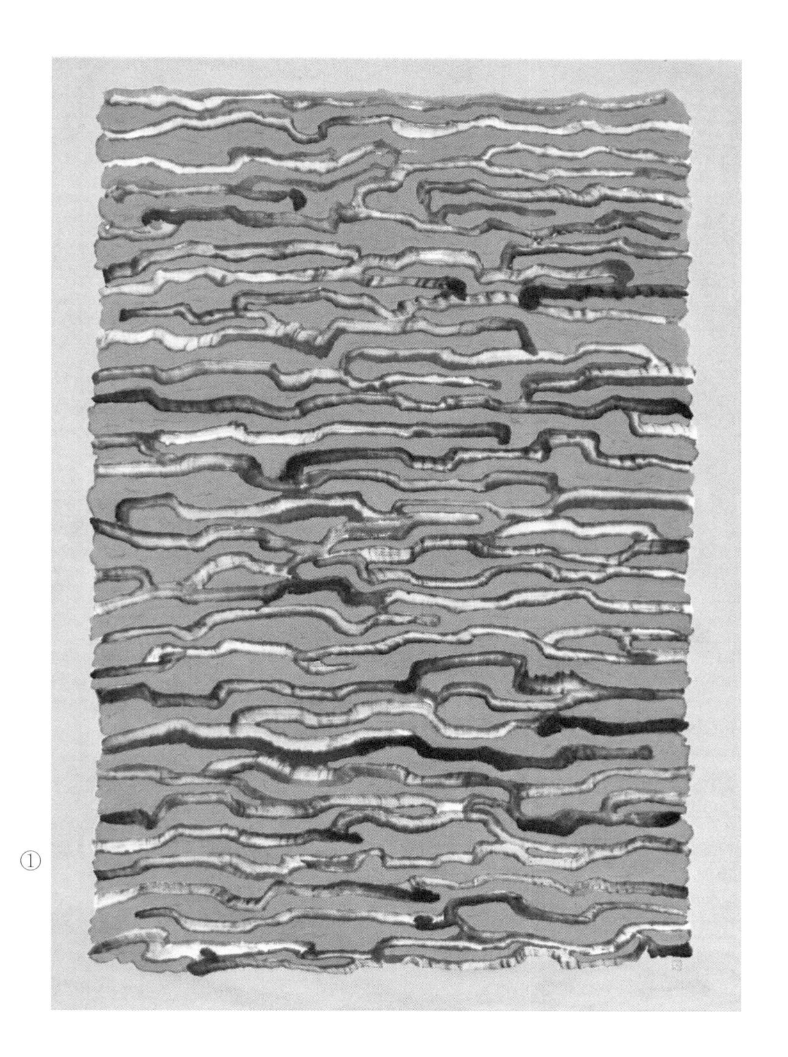

②

■ 隣(Rhin)-“산운(山韻)” & “표충사 월색” & “Mongolia”

작품 "산운(山韻), 표충사 월색" 그리고 "Mongolia"는 2023년 런던 아트페어(FOCUS LODON 2023 / 10, 4~10, 7)에 출품한 작품이다. 전속으로 있는 파리 미젠갤러리의 선호하는 작품을 고르기란 용이하지 않았지만, 근작 3점을 선정했다.

작품 "산운(山韻)"은 나의 조형언어인 공동체정신(共同體精神)과 곡선미학(曲線美學)을 바탕으로 운필한 근작(近作)이다. 가시적(可視的)인 형태에 매몰(埋沒)되지 않고, 대상(對象)의 본질적(本質的) 만남에서 모색(模索)하고 탐구(探究)한 결과물이다. 내 마음속에 자리한 심상적(心象的) 산(山), 즉 산의 운치(韻致)와 상징적(象徵的) 의미를 담은 반구상(半具象) 작품이다.

"표충사월색" 에서 표충사(表忠寺)를 보일 듯 말 듯 표현한 것은 병풍처럼 둘러친 재약산(載岳山)과 천황산의 우람한 기상의 위풍당당(威風堂堂)함을 운필하기 위해서다. 작은 화폭에 기세등등(氣勢騰騰)한 산의 정기를 담으려 했던 것은 우리의 산하가 얼마나 장엄(莊嚴)하고 수려(秀麗)한지를 보여주기 위함이다.

마지막으로 작품 "Mongolia"는 2019년 몽골을 탐방하여 느낀 감동을 우리의  미감으로 디테일하게 접근하여 운필하였다 나의 조형언어인 곡선미학(曲線美學)을 접목하여 나름대로의 심미감(審美感), 즉 마음의 색(色)을 입힌 것이다. 다시말해서 몽골 풍광은 차용(借用)했을 뿐 우리의 빛깔이 담겨 있음이다.

① 隣(Rhin)-산운(山韻), 83x123cm, 한지, 먹, 천연혼합채색, 2023
② 隣(Rhin)-산(山), 137x69cm, 한지, 먹, 천연혼합채색, 2023년 作
③ 隣(Rhin)-Mongolia, 30x70cm, 한지, 먹, 천연혼합채색, 2019 作
④⑤⑥ FOCUS LONDON 2023 / 2023년 런던 아트페어 오픈식 이모저모

①

②

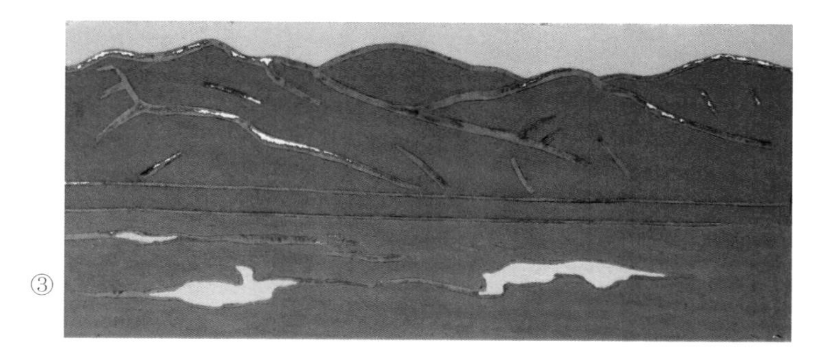

③

④

⑤

⑥

■ 파리 MIZEN ART갤러리 마리오대표의 글 (1)
<산운(山韻)>

산수(산과 물)의 최근작,
그것은 나의 형성적인 언어, 공동체 정신, 그리고 곡선적인 미학으로 쓰여졌다. 그것은 그동안 지속적으로 작업해 온 '산, 소나무, 달, 그리고' 라는 주제를 바탕으로 우리의 자연과 결합해 새로운 이미지를 창출하는 일환으로 창작된 작품이다. 작품 '산운'은 대상의 본질적 만남 속에서 모색하고 탐구한 결과이다.

보이는 형태로 묻히지 않고 말이다. 나의 작업 목적은 보이는 형태를 쫓지 않고 사물의 참된 모습을 표현하는 것이다. 그래서 산은 산이지만, 산은 실제 산이 아니다. 그것이다. 내 마음속에 있는 산의 이미지를 강조한다. 그것은 산의 아름다움과 상징이다.

본질의 내부를 따라가려고 하는 심리상태는 아이러니하다. 왜냐하면 풍경이나 풍경을 표현함으로써 아름다움을 표현한다는 개념적인 생각은 나에게 재미있지 않다. 만약 당신이 얻은 비정형적인 세계를 쫓은 후에 내적인 세계의 본질적인 본질에 매료되었다.
그렇게 해서 결국 마음에 드는 산을 만나게 된다. 작품 '산운'은 별반 다르지 않다.

"다이아몬드 산맥"을 그들의 진정한 순응과 반대로 해석하는 예술가, 그것은 그들이 하늘에 그들 자신을 투영할 때 눈에 독특하고 그림같이 보이게 만든다. 그들의 절벽들, 봉우리들, 그리고 뻣뻣하고 들쭉날쭉한 돌기둥들, 그것들을 부드럽게 하기를 원했다.
이 해석은 그것들을 꽃으로 변형시켜, "약해진 아가베" 지방을 상기시킨다. 폭포수가 안개처럼 나오는 천개의 잎으로 장식된 식물 부드러운 솜뭉치로 만들 수 있어요.

LIM MOO SANG  Mountain Rhythm  83X123  2023

隣(Rhin)-Sanwoon (Mountain's Rhythm) This is the recent work of Sansu (mountain and water), which was written with my formative language, community spirit, and curved aesthetics. It is a work created as part of creating a new image by combining with our nature based on the themes of "Mountain, Pine, Moon, and", which have been continuously working on. The work "Sanwoon (Mountain's Rhythm)" is the result of seeking and exploring in the essential meeting of the object without being buried in a visible form. The purpose of my work is to represent the true view of the object without chasing the visible shape. So a mountain is a mountain, but it's not a real one. It emphasizes the image of the mountain in my mind, that is, the beauty and symbolism of the mountain. The psychological state of trying to follow the inside of the essence is ironic because the conceptual idea of expressing beauty by expressing scenery or scenery is not fun for me. If you are fascinated by the essential true nature of the inner world after chasing the atypical world obtained in that way, you eventually meet the mountain you like. The work "Sanwoon (Mountain's Rhythm)" is no different.

*The artist in interpreting the "Diamond Mountains", contrary to their true conformation, which makes them unique and picturesque to the eye as they project themselves to the sky, in their set of cliffs, peaks and columns of bristly and jagged stone, wanted to soften them by transforming them into a flower, this interpretation recalls a "attenuated Agave" the fat plants crowned with a thousand leaves from which the waterfalls come out like a fog turning into balls of soft and impalpable cotton.*

■ 파리 MIZEN ART갤러리 마리오대표의 글 (2)
<표충사 월색(表忠寺 月色)>

우리는 마법의 순간을 살고 있고, 시적인 감동이 있고, 보름달이 너무 밝아서 밤에 불을 밝히죠.

눈을 더욱 산만하게 하는 눈부신 빛, 대기를 밝게 하는 등대 산들을 푸른 하늘로 물들이고, 밤중에 뱀이 튀는 바위 능선을 떼어내고, 그 사이에 끼어있는 것을 볼 수 있습니다.

지평선에 있는 별들은 아직 나타나지 않았지만, 첫 번째 불빛은 이미 나타났다. 외딴 산자락에 있는 작은 사원의 창문을 밝히며 불을 지폈습니다.

밤빛으로 가려진 하늘의 푸른 먼지는 그윽한 대조를 이룬다. 인디고 블루 색상으로, 지구상에 퍼져있는 반사신경의 반향에 의해 전율이 됩니다.

반면에 전경에는 계곡의 녹색이 마치 에미랄드빛으로 물들었습니다. 약초 향이 응축되어 젤라틴층을 형성합니다.

그 작품은 감회가 새롭다.
임 화가가 자신의 영혼에서 느끼는 모든 감정을 단순하게 담아낸 그림 화폭으로 마법적으로 옮겨졌습니다.
(2023년 런던 아트페어(FOCUS LODON) 출품)

LIM MOO SANG　The Moon Color of Pyocheongsa Temple 36×138 2012

Nous vivons un moment magique, une émotion poétique, la pleine lune se lève si brillante qu'elle illumine la nuit.

C'est une lueur aveuglante qui attire l'œil encore plus distrait, un phare qui éclairant l'atmosphère teint les montagnes du bleu du ciel, détachant dans la nuit les crêtes rocheuses qui serpentent entre elles entre les pics et les versants insidieux.

Les étoiles à l'horizon ne sont pas encore apparues mais les premières lumières se sont déjà allumées en éclairant les fenêtres du petit temple dans le village isolé et solitaire du piedmont.

La poussière bleue du ciel voilée par la lumière de nuit s'oppose dans un contraste délicieux avec la couleur bleu indigo, électrisée par la réverbération des reflets qui se répandent sur la montagne.

Alors qu'au premier plan, le vert de la vallée est teinté d'une couleur cérulée comme si les parfums herbeux se condensant créaient une couche gélatineuse.

C'est une œuvre si chargée de sentiments qu'elle gonfle le cœur d'une forte suggestion, une peinture qui, dans sa simplicité, détient tous les sentiments que l'artiste Lim, de son âme, à travers le pinceau, a magiquement transportés dans la toile.

■ 파리 MIZEN ART갤러리 마리오대표의 글 (3)
<Mongolia>

아직도 불굴의 녹색의 광활한 공간이 우리로부터, 우리의 관점에서, 산까지 거리를 두고 있다.

멀리 있는 지평선에서 그것이 바위 장벽에 닿을 때까지 잃어버린 그룹역광은 푸른색으로 얼룩져있다. 잔디는 샘물 조각들이 합쳐져서 얼룩져있다. 소규모 소통 채널.

이 작품에서 작가는 작품과 함께 변화하는 신비로운 무광의 순간을 포착했다. 빛의 변화와 물 위에 떨어지는 태양 광선의 반사를 포착했다. 그것들을 눈부시게 비추게 한다. 그것들은 하늘의 것보다 더 가볍다. 이것은 그 강도 때문이다. 오염되지 않은 영토의 순수한 빛. 하늘의 밝고 청록한 하늘색은 조명과 조명에 의해 반사된다. 녹색 잔디밭을 장식하는 물거울들. 그것들은 스테인드글라스 창문들로부터 조명을 받은 것처럼 보인다.

신의 손이 원하는 장식, 맑고 깨끗한 웅덩이의 물이 우리에게 전해 준다. 과거의 시나리오로 돌아가죠. 산들은 마치 거대한 녹색, 솜털, 펄프, 손대지 않은 채 마법에 의해 솟아오르는 것처럼 솟아오르고, 부풀어 오른다. 융단을 깔다. 산맥이 솟아나는 푸른 해저, 능선의 갈색 선으로 정의된다.
순례자들이 행렬을 지어 걷는 것과 비슷하고, 마지막에 만날 그라디언트(기압 변화)를 극복한다. 알 수 없는 곳.

이 작품은 고요한 예술가, 끊임없이 삶을 살아가는 영혼의 결과물로 이해된다 예술과 시의 조화로운 시너지
(2023년 런던 아트페어(FOCUS LODON) 출품)

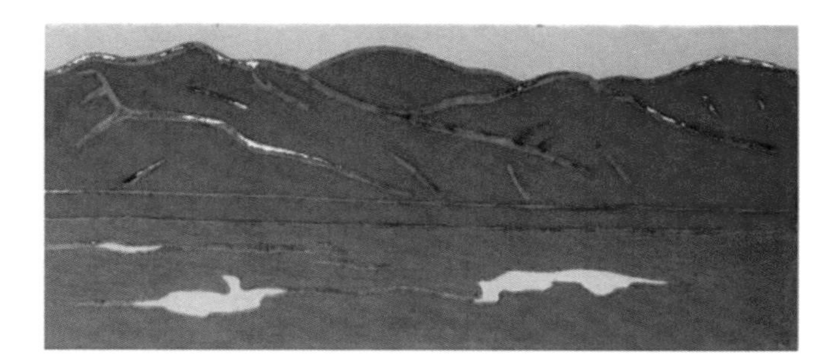

A still indomitable green expanse distances itself from us, from our point of view, to the mountain group that in the distance is lost at the nearby horizon, until it touches the rocky barrier that in backlight is tinged with blue. The lawn is stained by patches of spring water joined together by small communicating channels.

The artist in this work has captured a moment of the mysterious iridescence that changes with the change of light and has caught the reflection of the sun's rays that fall on the bodies of water illuminating them to the glare. They are lighter than that of the sky, this is due to the intensity of the pure light of the uncontaminated territory.

The light and cerulean light blue colour of the sky are reflected by illuminating and illuminating the water mirrors that decorate the green lawn. They look like stained glass windows illuminated from the back, decorations desired by a divine hand, the clear and clear water of the puddles sends us back to ancestral scenarios.

The mountains rise and swell as if by magic rising from the huge green, fluffy, pulpy, untouched carpet.

The blue seabed from which the mountain ranges emerge, defined by the brown lines of the ridges are similar to pilgrims who line up walk in procession, overcoming gradients to meet at the end in a mysterious place.

It is understood that this work is the result of a serene artist, a soul who constantly lives in the harmonious synergy between art and poetry.

■ 隣(Rhin)-마이산월색(馬耳山月色) 1, 2

년전에 마이산(馬耳山) 근처에서 하룻밤 묵은 적이 있었다. 어둠이 내린 뒤에 투숙(投宿)한 관계로 제대로 주변 경관(景觀)을 볼 수 없었는데 아침에 눈을 뜨니 창밖에서 들어나는 웅장(雄壯)한 마이산의 뷰(view)는 한마디로 감동(感動)이었다.

아침 햇살에 거대(巨大)한 황토색(黃土色) 암벽(岩壁)은 신비로움을 듬뿍 안고 의연(依然)히 서 있었다. 화들짝 놀라 침대(寢臺)에서 일어나 창문(窓門)을 열고 미친 듯이 벅찬 감동을 스케치북에 담았다. 장엄한 풍광(風光)에 흠뻑 매료(魅了)되어 현장감(現場感) 운필(運筆)에 심취(心醉), 몇 점의 스케치 작품을 건졌다.

이를 바탕으로 번안(飜案)하고 재해석(再解析)하여 표출(表出)한 작품이 "마이산월색(馬耳山月色)"이다. 내 작품에 월색(月色)이란 테마(Thema)가 많은데 풍경(風景) 그대로 보아도 무방(無妨)하지만, 실은 심월(心月)이다. 곧 내가 자연의 일부분임을 달님을 차용(借用)하여 내 마음을 담은 것이다.

"마이산은 전북 진안군에 있는 높이 687.4m의 산으로서, 1979년에 전라북도의 도립공원으로 지정되었다. 2003년에는 명승 제12호로 지정되기도 했다 이름처럼 말[馬]의 귀[耳] 같은 모양으로 두 암봉이 나란히 솟아 있다. 재미있게도 봉우리 이름에 암수를 붙여 동쪽 봉우리를 숫마이봉, 서쪽 봉우리를 암마이봉이라 한다. 암마이봉이 좀 더 높다. 신라시대에는 서다산(西多山), 고려시대에는 용출산(龍出山)이라 불렸고, 조선시대부터 마이산(馬耳山)이라 불렀다고 한다."

① 隣(Rhin)-마이산월색(馬耳山月色) 1, 70×111cm, 한지, 먹, 천연혼합채색, 2011년 作
② 隣(Rhin)-마이산월색(馬耳山月色) 2, 1500×200cm, 한지, 먹, 천연혼합채색, 2015년
③ 프랑스 그르노블 임무상초대전에서

①

②

③

■ 隣(Rhin)-산운(山韻)

작품 "산운(山韻)"은 그야말로 현실(現實)에 없는 상상(想像)의 풍경(風景)이다. 심상(心象)에서 빚어나온 마음속에 자리하고 있는 산중(山中)의 환영(幻影) 즉 현실에 실재(實在)하는 풍경이 아닌 상상속의 이상적(理想的) 풍경 또는 그런 풍경으로 보면 된다.

산의 골격(骨格)이 앙상하게 들어날 만큼 피마준(披麻皴) 운필(運筆)로 화면(畵面)을 가득 채우고 있다. 청량(淸凉)하리만큼 명징(明澄)한 청색(靑色)의 강렬한 빛깔은 산중의 운치(韻致)를 한층 더해주고 있다. 어디서 날아왔는지 푸더덕! 장끼(꿩) 한마리가 고요한 산중의 정적(靜寂)을 깨트린다. 계곡(溪谷)마다 자욱이 피오르는 뿌연 운무(雲霧)가 몽환적(夢幻的) 분위기(雰圍氣)를 자아내기에 충분하다.

□ 隣(Rhin)-산운(山韻), 70×110cm, 한지, 먹, 천연혼합채색, 2010년 作

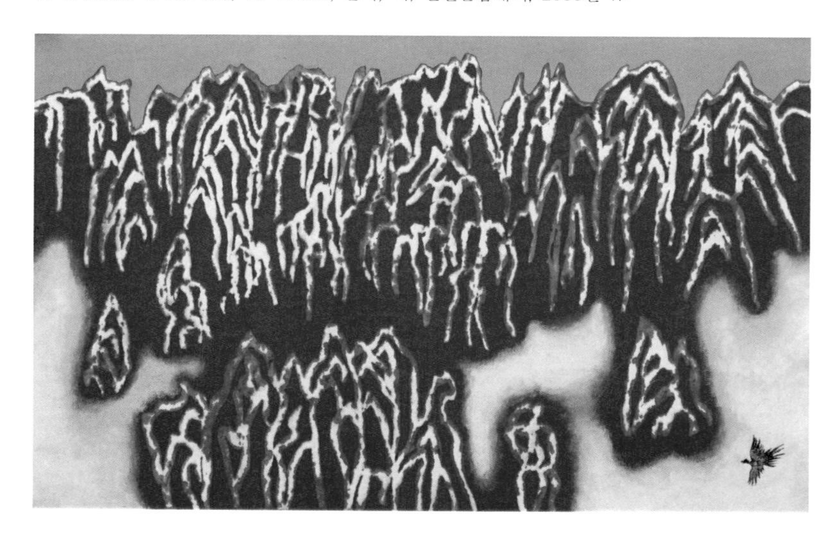

■ 隣(Rhin)-계룡산(鷄龍山) 소견(所見)

늦가을 어느 날 화우들과 공주(公州) 스케치기행을 떠나 갑사(甲寺)를 거쳐 동학사(東鶴寺) 경내를 둘러보며 계룡산(鷄龍山)과 마주하게 되었다. 쓸쓸한 가을산의 고즈넉한 계룡산의 풍치(風致)를 마음껏 음미(吟味)하면서 화첩(畵帖)에 담았다. 이따금 계룡산을 찾았을 때마다 감흥이 절로 일어 많은 드로잉을 해왔지만 지금 소개하고자 하는 계룡산 풍경은 당시 계룡산 이모저모를 스케치한 작품들을 바탕으로, 수묵의 유현미(幽玄美)를 살려 운필(運筆)한 작품들이다.

모든 명산(名山)들이 나름대로 특별함이 있지만, 계룡산은 언제나 엄연(嚴然)하고 웅대하며 살아 꿈틀대는 듯 가슴 벅차게 다가온다. 산세가 동서로 병풍(屛風)처럼 둘러있고, 산이 북에서 동서로 싸안은 듯 그윽하여 신비감을 자아내게 한다. 예로부터 계룡산은 풍수지리(風水地理)로 대단한 명산(名山)으로 알려져 지금은 모두 정리된 것으로 알고 있지만, 한때는 신흥종교가 성행하여 많은 사람들이 모여들기도 했다.

작품 "계룡산(鷄龍山) 소견(所見)"은 주로 초입에서 바라 본 경관에 포커스를 맞춘 그림들인데 늦가을 정취(情趣)를 살려 현장감을 담아 표현하는데 중점을 두었다.

"계룡산은 차령산맥(車嶺山脈)중의 연봉으로, 충청남도 공주시·계룡시·논산시와 대전광역시에 걸쳐 있는 산이다. 산의 이름은 주봉인 천황봉(846.5m)에서 연천봉(739m), 삼불봉(775m)으로 이어지는 능선이 마치 닭 볏을 쓴 용의 모양과 닮았다고 하여 붙여졌다고 한다. 풍수지리에서 우리나라 4대 명산으로 꼽힐 뿐 아니라, 관광지로도 제5위를 차지하여 국립공원으로 지정되어 있다."

① 隣(Rhin)-계룡산(鷄龍山) 소견(所見), 69×135cm, 한지, 먹, 채색, 1993년 作
② 隣(Rhin)-계룡산(鷄龍山) 일우(一隅), 69×89.5cm, 한지, 먹, 채색, 1996년 作
③ 隣(Rhin)-계룡산(鷄龍山) 일우(一隅), 56×69cm, 한지, 먹, 채색, 1996년 作
④ 隣(Rhin)-계룡산(鷄龍山) 추정(秋情), 69×89.5cm, 한지, 먹, 채색, 1996년 作
⑤ 隣(Rhin)-만추(晩秋)/계룡산(鷄龍山), 68.5×89cm, 한지, 먹, 채색, 1996년 作

①

②

③

④

⑤

■ 隣(Rhin)-영암(靈巖) 월출산(月出山)

사생단체 일원으로 전국 산하(山河)를 누비며 현장에서 화첩에 즉시 운필하기도 하고 스케치북에 담기도 하던 때가 있었다. 오래전에 영암(靈巖) 월출산(月出山) 사생을 떠났는데 화창한 봄날 처음 만나게 되는 월출산은 수려(秀麗)하기 그지없지만 그 위용(威容) 또한 압도되어 다가왔다. 소금강(小金剛)이라고 일컬을 만큼 웅대하고 장엄(莊嚴)하며 아기자기하면서도 독특함이 있었다. 소금강이라고 부르는 동쪽 사면에 위치한 구절(九折)계곡은 공원내 최고 풍치(風致)지구이기도 하다. 기암괴석으로 어우러진 봉우리들이 월출산의 최고의 경관이요, 일출(日出) 일몰(日沒) 광경은 호남(湖南) 제일의 장관으로 손꼽힐 정도로 알려진 명산이다. 이처럼 천태만상(千態萬象)의 산세에 매료되어 서둘러 화첩을 꺼내어 스케치 삼매에 빠졌던 당시의 감회(感懷)가 새롭다. 뿔뿔이 흩어져 각자 좋은 장소를 택해 켄버스나 화판을 펼쳐 놓고 열심히들 그리는 동안 나는 나름대로 논두렁 근처 적당한 곳에 자리잡아 화첩(畵帖)을 꺼내어 먹(墨)을 풀고 운필했던 때가 생각난다.

작품 "영암(靈巖) 월출산(月出山)"은 당시 즉흥적인 감흥을 현장에서 직접 화첩(畵帖)에 담은 수묵담채화(水墨淡彩畵)이다. 아쉬움이 있다면 월출산 후면의 장관(壯觀)을 담지 못하고 돌아온 것이 유감으로 남는다.

"월출산(月出山)은 높이 809m이며, 월나산·월생산이었다가 조선시대부터 월출산이라 불렸다. 주봉은 천황봉이고, 장군봉·사자봉·구정봉·향로봉 등이 연봉을 이룬다. 산세가 매우 크고 수려하며 기암괴봉과 비폭·벽담, 많은 유물·유적 등과 조화를 이루고 있다. 1973년 도립공원으로 지정되었다가 1988년 국립공원으로 승격되었다."

① 隣(Rhin)-영암(靈巖) 월출산(月出山), 34×145cm 한지, 먹, 채색, 2003년 作
② 隣(Rhin)-영암(靈巖) 월출산(月出山) 일우, 지름 33cm(접시), 2003년 作
③ 隣(Rhin)-영암(靈巖) 월출산(月出山), 23.5×32cm, 한지, 먹, 채색, 2003년 作

①

②

③

■ 隣(Rhin)-제주 성산일출봉(濟州 城山日出峰)

성산일출봉(城山日出峰)은 제주의 명소 중의 명소, 백미(白眉)라고 할 수 있다. 그 늠름한 섬의 위용은 타의 추종을 불허하기 때문이다. 푸른 바다 위에 우뚝 솟은 성채와 같은 모양의 장엄한 일출봉 뷰(View)는 보는 이로 하여금 감탄이 절로 나온다. 해안 절벽(絶壁) 가파른 산길을 굽이굽이 오르고 또 오르면 일출봉 정상(頂上)에 다달은다. 움푹패인 거대한 사발 모양의 분화구(噴火口)와 마주하게 되는데 주변 풍치와 어우러져 신비롭기 그지없다 이곳에서 맞이하는 일출의 장관(壯觀)은 생각만 해도 감동과 탄성이 절로 나올 것만 같았다.

"성산일출봉은 제주도의 동쪽 끝에 자리하고 있다. 암석이 높이 솟아 있는 데다 바다로 솟는 해의 모습을 잘 바라볼 수 있기에, 흔히 일출봉(日出峰)으로도 통용된다. 일출봉은 화산폭발로 생겨난 폭열구(爆裂口)일 뿐이다. 그러므로 일출봉에 올라 보면 접시 모양으로 가장자리가 솟아 있는 절벽이고, 가운데는 움푹 파이고 들어간 요지(凹地)이다"

제주에 갈 때마다 일출봉은 물론 성산포 해안 일대를 많이 스케치를 했던 명소이다. 지금 등재(登載)한 작품 "성산일출봉"은 오래전에 어느 초여름 날 몇몇 화우(畵友)와 함께 성산 해안가 근사한 장소에 자리 잡고 앉아서 온종일 일출봉(日出峰)과 마주하며 건진 작품들이다. 아침, 점심, 저녁때의 산빛(山色)이 시시각각 변화되어 가는 과정을 지켜보면서 자연의 신비로움에 매료되어 순간순간의 감흥을 담은 그림이다. 어떠한 미사여구(美辭麗句)를 다 동원해도 당시의 감동을 표현할 수 없는 묘사력(描寫力)의 한계를 느끼면서 나름대로 최선을 다해 운필한 작품이라 하겠다.

① 隣(Rhin)-탐라기행/성산일출봉(城山日出峰), 69×84cm, 한지, 먹, 채색, 1996년 作
② 隣(Rhin)-탐라기행/성산일출봉(城山日出峰), 51.5×69cm, 한지, 먹, 채색, 1998년 作
③ 隣(Rhin)-제주 성산일출봉(城山日出峰), 54×70cm, 한지, 먹, 채색, 1998년 作
④ 隣(Rhin)-성산일출봉(城山日出峰), 43×83cm, 한지, 먹, 채색, 1998년 作
⑤ 隣(Rhin)-성산일출봉(城山日出峰), 51×135cm, 한지, 먹, 채색, 1998년 作
⑥ 隣(Rhin)-성산일출봉(城山日出峰), 68.5×202cm, 한지, 먹, 채색, 1998년 作
⑦ 隣(Rhin)-성산일출봉(城山日出峰), 71×139cm, 한지, 먹, 천연혼합채색, 2014년 作

①

②

③

④

⑤

⑥

⑦

■ 隣(Rhin)-제주 산방산(山房山)

송악산에서 바라본 산방산(山房山) 혹은 화순 금모래 위에서 바라 본 산방산이 늘 가슴 설레게 하는 뷰이다. 주로 이곳을 찾았을 때 산방산을 소재로 많은 스케치를 남겼다. 남제주군 안덕(安德)면에 있는 산방산은 높이 395m이며, 모슬포로부터 동쪽 4㎞ 해안(海岸)에 있다. 성산일출봉과 비견될 수 있는 웅대(雄大)하고 수려한 산이다. 남제주(南濟州) 연안 앞 바다를 지키는 파수꾼처럼 홀로 엄연(儼然)히 높이 솟아 그 진면목(眞面目)을 발하고 있다.

"이 산에는 옛날 한 포수가 한라산(漢拏山)에 사냥을 나갔다가 잘못해서 산신의 궁둥이를 활로 쏘자 산신이 노하여 손에 잡히는 대로 한라산 봉우리를 뽑아 던진 것이 날아와 산방산이 되고 뽑힌 자리가 백록담(白鹿潭)이 되었다는 전설이 있다."

또한 "여신 산방덕과 고승(高升)이란 부부가 행복하게 살고 있었는데 이곳의 주관(州官)으로 있던 자가 산방덕의 미모를 탐내어 남편 고승에게 누명을 씌우고 야욕을 채우려 하다가 이를 알아차린 산방덕이 속세에 온 것을 한탄하면서 산방굴(山房窟)로 들어가 바윗돌로 변해버렸다"는 전설도 전해오고 있다.

년전에 제주여행을 다녀왔는데 멀리 송악산(松岳山)에서 산방산을 바라다보면서 잠시 옛 추억에 잠겨봤다. 멀리서 바라본 산방산은 역시 걸작(傑作)이었다. 망망대해를 바라보며 우뚝 서 있는 늠름한 자태가 너무나 의연하고 멋져 보였다. 지난날 산방산 근처 화순(和順) 해수욕장 모래사장 위에서 화우(畵友)들과 함께 스케치도 하고 해수욕도 즐겼던 추억이 새록새록 떠오른다.

작품 산방산(山房山)은 당시 현장 스케치를 바탕으로 운필(運筆)한 수묵담채화(水墨淡彩畵)이다.

① 隣(Rhin)-제주(濟州) 산방산(山房山), 59×202cm, 한지, 먹, 채색, 1998년 作
② 隣(Rhin)-제주(濟州) 산방산(山房山), 51×135cm, 한지, 먹, 채색, 1998년 作
③ 隣(Rhin)-탐라기행/산방산(山房山), 69×84cm, 한지, 먹, 채색, 1998년 作
④ 隣(Rhin)-제주(濟州) 산방산(山房山), 68.5×68.5cm, 한지, 먹, 채색, 1998년 作
⑤ 隣(Rhin)-탐라기행/산방산(山房山), 68.5×84cm, 한지, 먹, 채색, 1998년 作

①

②

③

④

⑤

■ 隣(Rhin)-한라산(漢拏山) 노을

제주 여행 때마다 한라산은 자주 스케치했던 소재다. 서귀포(西歸浦)에서 바라본 한라산 저녁노을은 참으로 예쁘고 아름다웠다.

오래전에 사생(寫生) 단체 제주 스케치 기행(紀行)에 동참하여 함께 한 화우들과 제주의 명소를 찾아다니며 스케치를 했던때가 있었다. 기행을 마치고 숙소가 있는 서귀포 작은 호텔에서 묵게 되었는데 첫날은 제주(濟州)시 근처 어느 작은 마을에서 다음날은 서귀포에서 묵게 되었다.

이른 저녁을 먹고 돌아오는 길에 황혼(黃昏)이 짙게 물든 한라산(漢拏山) 뷰가 시네마스코프처럼 펼쳐지고 있었다. 환상적이다 못해 황홀하였다. 즉시 화첩(畵帖)을 꺼내어 몇 장의 드로잉과 주변 풍광을 곁드린 스케치 몇 점을 건졌다.

그 후 작업실에 돌아와 서귀포 한라산 저녁노을의 풍광을 회상하며 작화하는 동안 내내 현장에서 설레였던 감동을 고스란히 담으려고 열작을 했다. 하지만 자연의 오묘(奧妙)함을 어찌 다 묘사(描寫)하리오마는 그래도 이만하면 족하다 싶어 붓을 놓았다.

그날 밤은 함께 한 화우들과 어느 허름한 바닷가 횟집에서 밤새도록 흥을 돋구었던 아름다운 추억이 새록새록 떠오른다. 돌아보면 그때가 그리워짐은 왜일까~ 가는세월 막을 수 없듯이 마음놓고 스케치 다니던 젊음을 만끽했기 때문이 아닌가 싶기도 하다.

작품 "한라산 노을"은 당시의 현장감과 추억이 고스란히 베어있어 애정이 많은 작품 중의 하나이다.

① 隣(Rhin)-한라산(漢拏山) 노을, 24.5×138cm, 한지, 먹, 채색, 2004년 作
② 隣(Rhin)-서귀포(西歸浦) 아침, 51×135cm, 한지, 먹, 채색, 1998년 作
③ 한라산 등정, 사오름전망대에서

①
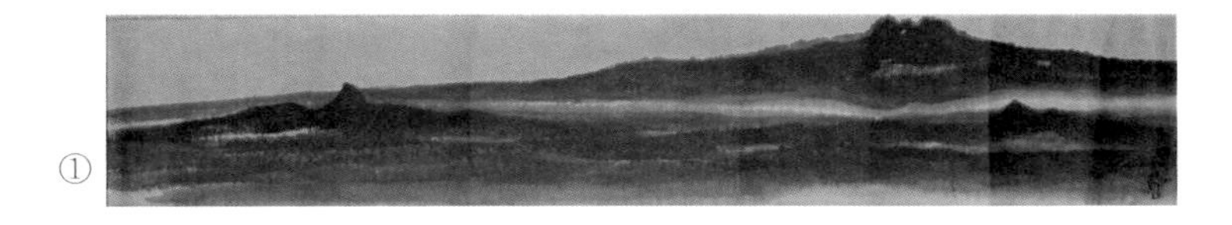

②

③

■ 隣(Rhin)-설악산(雪嶽山) 울산바위

동해안 여행(旅行)할 때마다 자주 마주하는 설악산(雪嶽山) 울산바위는 수없이 스케치하고 카메라에 담아왔다. 그 위용(威容)과 장엄(莊嚴)함은 어떠한 명산(名山)에서도 비견(比肩) 될 수 없는 특별함이 있다. 울산바위는 스케일이 방대(厖大)한 설악(雪嶽)의 장관(壯觀)에서도 그 수려(秀麗)함은 백미 중의 백미(白眉)가 아닌가 싶다.

작품 "설악산(雪嶽山) 울산바위"는 동해안 여행을 마치고 귀경(歸京)길에 잡은 울산바위 전경(全景)을 작화(作畵)한 것이다. 기기묘묘(奇奇妙妙)한 괴석(怪石)들이 병풍처럼 둘러쳐져 눈부시게 다가오고 있다. 그 감동을 나의 조형언어(造形言語)인 곡선화법(曲線畵法)으로 변용(變容)하고 바탕은 천연혼합채색으로 바위는 토분채색(土粉彩色)으로 운필(運筆)하였다.

"전설(傳說)에 따르면 조물주가 금강산(金剛山)의 경관(景觀)을 빼어나게 빚으려고 잘생긴 바위는 모두 금강산에 모이도록 불렀다. 경상남도 울산(蔚山)에 있었던 큰바위도 그 말을 듣고 금강산으로 길을 떠났으나 워낙 덩치가 크고 몸이 무거워 느림보 걸음걸이다 보니 설악산에 이르렀을 때 이미 금강산은 모두 빚어지고 말았다. 울산바위는 그 한 많은 사연(事緣)을 간직한 채 고향(故鄕) 울산(蔚山)으로 돌아갈 체면(體面)도 없어 설악산에 눌러앉고 말았다." 고 한다.

작품 "설악산(雪嶽山) 울산바위"는 프랑스 그르노블, 마운틴 플레닛 "임무상 초대전(招待展)에 출품(出品)한 역작(力作)으로써 작품 "산폭도(山瀑圖)"와 함께 다음 순회전(巡廻展)을 위해 지금 파리 모처(某處)에 보관 중이다.

① 隣(Rhin)-설악산(雪嶽山) 울산바위, 154×275cm, 한지, 먹, 천연혼합채색, 2012년 作
② 프랑스, Grenoble, Montana Planet 임무상초대전 전시장면

①

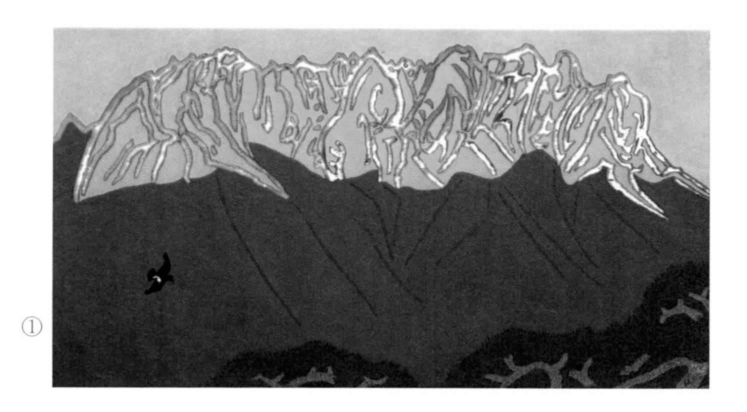

②

■ 隣(Rhin)-북한산 인수봉(北漢山 仁壽峰)

인수봉(仁壽峰)은 강북구 우이동과 고양시에 걸쳐있는 삼각산(三角山) 세 봉우리 가운데 하나이다.

"서울특별시와 경기도 고양시, 양주시, 의정부시에 걸쳐있는 산. 북한산(北漢山)이라는 이름은 조선(朝鮮) 후기(後期) 한강(漢江) 이북(以北)에 있다고 하여 붙인 것이고, 별칭(別稱)인 삼각산(三角山)은 백운대, 인수봉, 만경봉의 세 봉우리가 있어서 불리게 된 이름이다. 예로부터 주로 삼각산, 백한산이라는 이름으로도 불렸지만, 광복(光復) 이후부터는 거의 쓰이지 않게 되었다."

작품(作品) "북한산 인수봉(北漢山 仁壽峰)"은 소위(所謂) 삼각산 세 봉우리 가운데 인수봉(仁壽峰)을 클로즈업하여 나름대로의 조형언어(造形言語)인 곡선미학(曲線美學)을 접목(接木)하여 재해석(再解析)한 그림이다.

물론 세 봉우리 모두 준수(俊秀)하지만, 그중에 유달리 인수봉(仁壽峰)은 늠름하고 웅위(雄威)한 자태(姿態)와 산의 장엄(莊嚴)함이 매력적(魅力的)이다. 그러므로 해서 그 위용(威容)과 기품(氣品)은 단연 으뜸이라 보는 이로 하여금 감탄(感歎)이 절로 나온다.

바탕색을 과감히 황토색(黃土色)을 사용(使用)한 것은 순전히 즉흥적으로 마음이 가는 대로 페인팅하였을 뿐, 별 의미(意味)를 둔 것은 아니다. 하늘에 걸린 핑크빛 달 역시 달은 달인데 내 마음속에 있는 상징적(象徵的)인 마음의 달, 즉 심월(心月)일 뿐이다. 다만 곡선화법으로 운필한 것은 인수봉의 기상(氣像)과 산(山)의 정기(精氣)를 강조(强調)해 보려 함이다.

□ 隣(Rhin)-북한산 인수봉(北漢山 仁壽峰), 89×70cm, 한지, 먹, 천연혼합채색, 2010년 作

■ 隣(Rhin)-주흘산 월색(主屹山月色)

고향 문경을 오가며 주흘산(主屹山)을 소재(素材)로 그린 그림이 가장 많다. 마주 대할 때마다 느낌은 항상 달랐으며, 그리고 싶은 욕구(欲求)는 늘 충동질 한다.

산세(山勢)가 빼어난데다 언제나 위풍당당(威風堂堂)한 모습은 참으로 비범(非凡)하기 그지없다. 양쪽 귀를 치켜세우고 날아갈 듯 펼쳐진 기세등등(氣勢騰騰)한 산세가 주변을 압도(壓倒)하여 보는 이로 하여금 절로 탄성(歎聲)이 나온다.

"우두머리 산이라는 뜻의 '주흘산'이라는 이름이 왜 탄생(誕生)하게 되었는지, '산의 고장' 문경(聞慶)에서 내노라 하는 여러 산을 제치고 주흘산이 왜 진산(鎭山)으로 대접받게 되었는지, 범상(凡常)치 않은 산세(山勢)에서부터 확인하게 될 것이다."

그 웅위(雄威)하고 장엄(莊嚴)한 주흘산의 진면목(眞面目)을 담아보기 위해 숱한 작업을 시도했지만 만족할만한 결과물을 얻기가 용이(容易)하지 않았다. 이번에 선보이는 "주흘산 월색" 대작(大作)은 다소 미흡한 부분이 없잖아 있지만, 나름대로 기대치를 돌출했다고 여겨지는 작품이다. 왜냐하면 오랫동안 만났던 주흘산의 감동과 이미지를 모아 번안(飜案)하고 재해석(再解析)하여 주흘산의 본질적(本質的) 이미지에 접근하여 운필(運筆)했기 때문이다. 외형(外形)에서 오는 시각적 풍치(風致)는 차용(借用)했을 뿐 실은 내재(內在)돼 있는 산의 기개(氣概), 즉 산의 기상과 정기를 담으려고 했으며, 피마준(披麻皴)으로 운필하여 장엄함을 더했다.

함으로 작품 "주흘산 월색(主屹山月色)"은 실경이 아닌 심상적(心象的) 풍광(風光)임을 밝혀둔다. 이 작품은 "문경문화예술회관 30주년 기념 임무상 특별전"에 출품작이었으며, 전시 후에 문경문화예술회관에 기증하였다.

□ 隣(Rhin)-주흘산(主屹山) 월색(月色), 145×199cm, 한지, 먹, 천연혼합채색, 2023년 作

■ 隣(Rhin)-돌리네 습지(濕地)

내고향 읍실 굴봉산 고개 넘어 자리하고 있는 돌리네 습지(濕地)를 그림으로 담아 봤다. 실경(實景)을 바탕으로 작화(作畵)하였지만, 실은 내 어릴 때 동네 아이들과 자주 놀러 왔던 그때를 회상(回想)하며 작업에 임(臨)했다.

그곳은 비탈진 산등성이엔 황토(黃土) 밭(田)들이 늘려있고, 그 아래 저지대(低地帶)에는 갈대가 많고, 깊은 웅덩이들이 여럿 있었는데, 그 주변(周邊)엔 버드나무와 이름 모를 나무들이 옹기종기 숲을 이루고 있었다. 딱히 놀 곳이 없는 산촌(山村) 아이들은 자주 이곳에 와서 놀았던 기억(記憶)이 어렴풋이 남아 있다. 뒷산(굴봉두리) 고개가 워낙 가파르고 굽이져 한번 갔다 오면 소풍(消風) 다녀온 듯한 기분이다. 버들가지 꺾어 버들피리 만들어 불기도 하고, 가을이면 탐스러운 부들 몇 개 꺾어 병에 꽂아 놓고 즐거워했던 유년(幼年)시절이 그립다! 숨을 헐떡이며 고갯마루를 넘어오면 제법 넓은 잔디 위에 멋진 소나무 두 그루가 있는데, 그 소나무 아래서 잠시 쉬었던 추억이 떠오른다. 굴봉산 재 너머엔 그리 넓지는 않지만, 사방(四方)으로 터져 시원하게 조망(眺望)할 수 있어 좋다. 이곳이 돌리네 습지(濕地)가 있는 "새긋바다"(방언) 풍광(風光)이다. 저 멀리 산너머 우람한 월주산(越舟山)이 손에 잡힐 듯 다가오고, 대부분 비탈진 농경지(農耕地)가 많지만, 습지 근처(近處)엔 벼농사를 지을 수 있는 약간의 논(畓)들이 있어 가끔 마을 사람들을 만나게 된다.

이런저런 지난날 아름다웠던 추억(追憶)의 잔상(殘像)들을 모아 번안(飜案)하고 재해석(再解析)하여 운필(運筆)한 작품이 "돌리네 습지(濕地)"이다. 이 작품은 문경문화예술회관 30주년 기념 임무상 특별전 출품을 위해 특별히 제작되었다.

□ 隣(Rhin)-돌리네 습지(濕地), 153×196cm, 한지, 먹, 천연혼합채색, 2023년 作

# 소나무(松)

가을소나무, 39.5×30.5cm, 한지, 먹, 채색, 1995~1996년 作

■ 隣(Rhin)-노거송(老巨松)

작품 "노거송(老巨松)"은 경북 동해안(東海岸) 어느 지방(地方) 바닷가 마을 언덕 위에 있는 오래된 멋진 해송(海松)을 스케치를 바탕으로 번안(飜案)하여 운필(運筆)한 소나무 그림이다.

마을과 마을 사람들의 평안(平安)과 안위(安危)를 그리고 안전(安全)한 출범(出帆)과 만선(滿船)을 기원하기 위해 해마다 마을 사람들이 노거송에 제물(祭物)을 올리며 치성(致誠)을 드린다고 한다. 노송 밑둥치에 치성드린 흔적(痕跡)이 그대로 남아 있는 것을 보면, 이 마을에서는 수호신(守護神)인 신목(神木)이라 볼 수 있다. 붉은 적송(赤松)은 불로장생(不老長生)과 만사형통(萬事亨通)이라는 의미를 담고 있지만 실은 평소에 붉은색을 좋아하는 나의 열정(熱情)을 표출(表出)했다고 보면 될 것이다. 이 소나무 그림은 2020년 11월 송하보월전(松下步月展, 이천시립월전미술관)에 출품한 작품이다.

① 이천시립월전미술관 "송하보월(松下步月)"전을 둘러보고 포즈 (2021년 11월 어느날)
② 隣(Rhin)-노거송(老巨松), 124×75cm, 한지, 먹, 천연혼합채색, 2014년 作

①

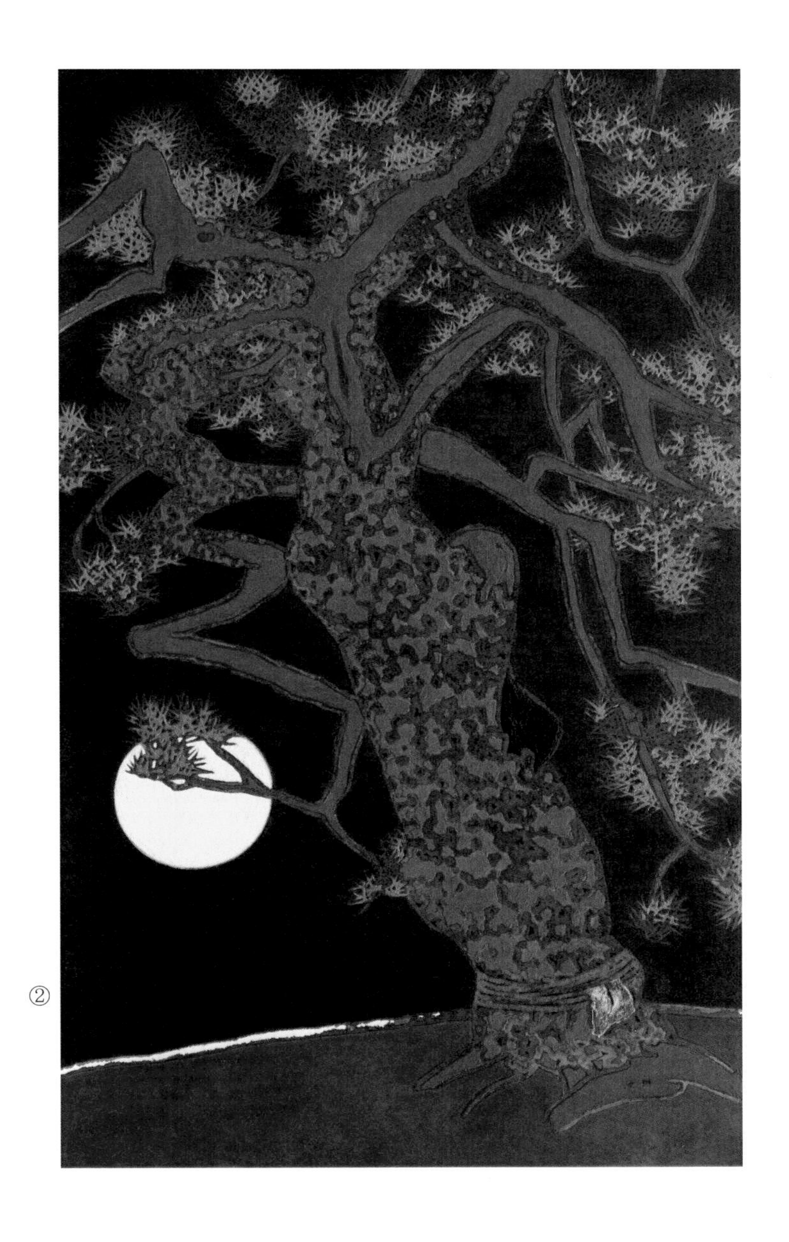

②

■ 隣(Rhin) - 월송(月松)

작품 "월송(月松)"은 경남 양산시 하북면 지산리 통도사(通度寺) 입구 들머리 솔밭에 있는 노송(老松)을 스케치하여 돌아와 재해석(再解析), 탄생(誕生)된 소나무 그림이다.

많은 작품 중에 가장 애정(愛情)을 갖고 있는 이 월송(月松)은 구도(構圖)와 운필(運筆)은 물론이려니와 색상면에서도 내가 기대했던 만큼 잘 표출(表出)되었기 때문이다. 특히 소나무 둥치의 호방(豪放)한 생명력(生命力)과 껍질에서 빚어나오는 투박한 "마티에르" 맛은 우연히 얻어졌지만 필연(必然)이었다.

소나무 끝자락에 빚어나오는 둥근 달빛은 맑고 밝은 달의 상징성(象徵性)을 강조하였고, 소나무의 운치와 절묘한 조화를 보여주고 있다고 여겨진다. 이 작품은 2013년 7월 한 달 동안 파리 6구 중심부에 자리한 "셀렉티브 아트 갤러리" 임무상초대전에 출품(出品)하여 호평(好評)과 큰 반향(反響)을 얻어 그해 겨울 12월 한 달 가까이 이태리 Padova 근교(近郊)에 있는 "아바노, 아트시마 갤러리" 초대전(招待展)으로 이어져 많은 박수와 주목(注目)을 받은 작품이다.

① 隣(Rhin)-월송(月松), 70×123cm, 한지, 먹, 천연혼합채색, 2013년 作
② 이태리 Padova Abano, 아트시마갤러리 임무상초대전에서 1
③ 이태리 Padova Abano, 아트시마갤러리 임무상초대전에서 2
④ 이태리 Padova Abano, 아트시마갤러리 임무상초대전에서 3

①

②

③

④

■ 隣(Rhin)-하동(河東) 문암송(文岩松)

경상남도 하동군 악양면 축지리에 있는 문암송(文岩松)을 마주하는 날, 구름 한점 없는 화창한 봄날이었다. 개화시기(開花時期)라 주변에 봄꽃이 만발(滿發)하고 봄향기가 가득한 근처 문암정(文岩亭)의 운치(韻致)가 빛을 발하고 있었다.

함께 한 솔바람회원들은 이 한 그루의 노거송(老巨松) 앞에 절로 숙연(肅然)해지지 않을 수 없었다. 소위(所謂) 축지리 아미산 기슭에 기암괴석(奇岩怪石)이 있는데 이 바위를 뚫고 거대(巨大)한 밑둥치가 바위와 함께 버티고 서있는 그 자태(姿態)는 너무나 우람하고 신비로워 감탄(感歎)이 절로 나왔다.

"2008년 3월 12일에 천연기념물로 지정되었으며 나무의 높이가 12.6m, 가슴높이 줄기의 둘레가 3.2m, 수관폭(樹冠幅)은 동서로 16.8m, 남북으로 12.5m에 이르고 나무의 나이는 600년 정도로 추정되고 있다" 하니 가히 명송(名松)이라 아닐 수 없다. 이곳 마을 사람들은 봄철을 맞이하여 사악한 귀신을 쫓아내는 제사를 이 나무 아래에서 지내고 온종일 가무(歌舞)를 즐긴다고 한다. 지금은 해마다 각지에서 많은 사람들이 모여드는 명소(名所)가 되었을 뿐만 아니라 시인(詩人) 묵객(墨客)들이 즐겨 찾는다 하여 문암송(文岩松)이라 이름이 붙여졌다고 한다.

그 웅대(雄大)한 기운을 화폭(畵幅)에 담고 싶은 욕구(欲求)가 절로 충동질하여 급히 스케치북을 꺼내어 당시의 현장감(現場感)을 가슴에 담고 Drawing 몇 점을 건졌다. 작품 "하동(河東) 문암송(文岩松)"은 이를 바탕으로 번안(飜案)하여 3개월에 걸쳐 작화(作畵)한 회심(會心)의 역작(力作)이다.

□ 隣(Rhin)-하동(河東) 문암송(文岩松), 100F, 한지, 먹, 천연혼합채색, 2017년 作

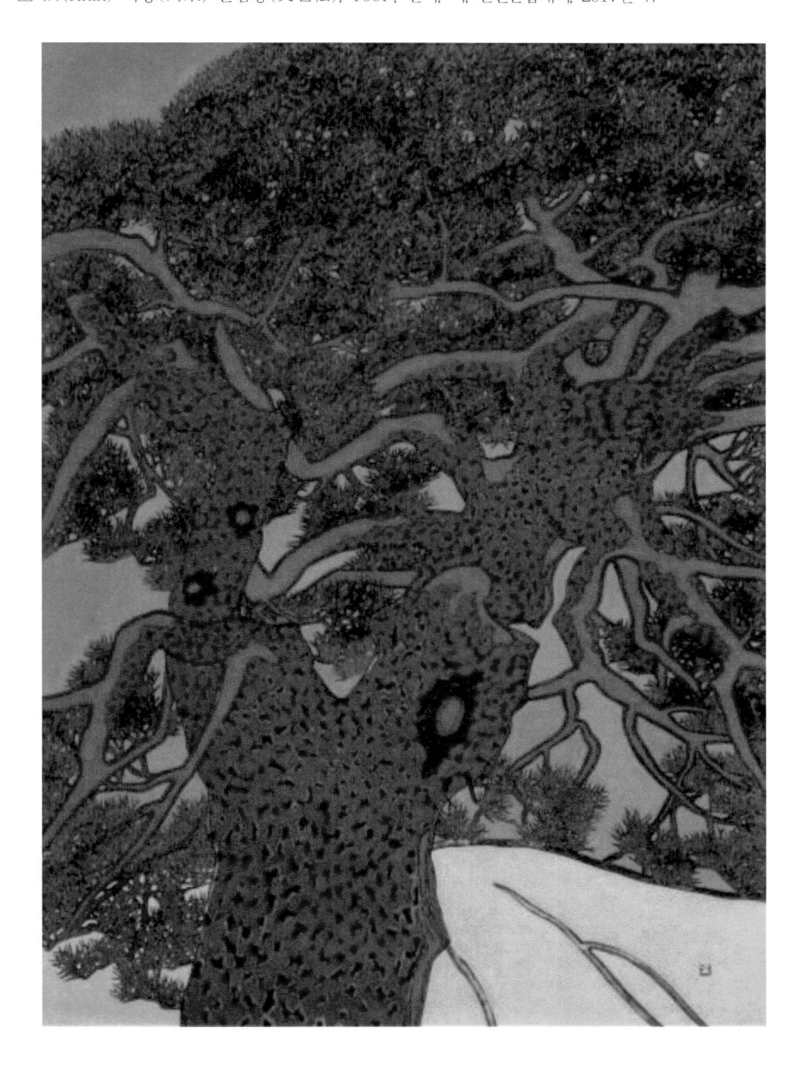

■ 隣(Rhin)-설송(雪松)

작품 "설송(雪松)"은 첫눈이 내린 어느날, 남녘 지방에서 만난 멋진 소나무를 소재(素材)로 한 것이다. 앙상한 고목(古木) 소나무 위에 살포시 내려앉은 눈이 겨울 소나무의 운치(韻致)를 더하고 있었다. 디테일하게 스케치를 하고, 마음에 담아 돌아와 겨울 소나무의 맛과 멋을 밀도(密度)있게 접근(接近)하여 작화(作畵)한 소나무 그림이다. 겨울 풍류(風流)의 감흥(感興)을 자아내기에 충분한 설송(雪松)이 탄생되었다고 여겨진다. 지금은 그림애호가의 댁에 소장(所藏)되어 있지만, 가끔 생각나는 애착(愛着)이 가는 작품이다. 설송을 감상하고 난뒤 이인평 시인(詩人)은 멋진 시작(詩作)을 보내왔다.

<三江의 설송도(雪松圖)>

시리고 찬 새벽하늘 아래
고태미 그윽한 소나무 한 그루
눈에 덮여
옹골찬 밑동에서 가지 끝까지
오랜 적막의 신비를 더하고 있다

화폭을 대하는 순간
구도의 경지에서 눈을 뗄 수가 없다
자태의 묘미에 사로잡히는 순간
귀를 돌릴 수가 없다

볼수록 빈틈을 허용하지 않은
고고(孤高)한 격조 앞에서
내 존재는 이미
정지된 시간, 그 순백의 고요 앞에서
깊은 희열에 휩싸일 뿐이다

□ 隣(Rhin)-雪松(설송). 37×69cm, 한지, 먹, 천연혼합채색, 2010년 作

■ 隣(Rhin)-쌍송(雙松)

소나무를 사랑하고 좋아하여 명목(名木) 소나무(松)를 찾아 전국 방방곡곡(坊坊曲曲) 소나무 기행(記行)을 떠나는 "솔바람 모임"이 있다. 우리나라뿐만 아니라 일본, 미국, 프랑스까지 다녀왔다. 회원의 한 사람으로서 자부심과 고마움을 늘 잊지 않고 있다. 왜냐하면 소나무를 닮은 성정(性情)을 지닌 사람들과 함께 할 수 있어 소나무의 기운(氣韻)을 듬뿍 받기 때문이다. 연례행사(年例行事)가 되어 해마다 "솔바람 모임"에서 명품(名品) 소나무를 만나러 떠난다.

그동안 많은 소나무를 만났고, 카메라에 담고, 스케치도 하고, 그림으로 남겼다. 이 쌍송(雙松)은 어디선가 스케치한 것인데 기억은 잘 나질 않지만, 우리 소나무 친구들과 함께하는 동행(同行)의 이미지를 담아 재해석(再解析)하여 운필(運筆)한 소나무 그림이다.

쌍송(雙松)의 옹골찬 아래 둥치에서 휘감아 굴절(屈折)된 가지에서 발현(發現)되는 부드러운 곡선미(曲線美)는 솔바람 친구들의 끈끈한 우의(友誼)와 성정(性情)을 상징적으로 표상(表象)한 것이며, 솔바람 도반(道伴)들의 그대로의 모습이다.

작품 "쌍송(雙松)"은 금년 5월 한 달 동안 "갤러리삼강" 개관기념 임무상초대전에 출품한 근작(近作)이다.

□ 隣(Rhin)-쌍송(雙松), 73×82cm, 한지, 먹, 천연혼합채색, 2020년 作

■ 隣(Rhin)-황산월색(黃山月色)-영객송(迎客松)

중국 황산(黃山)을 다녀온 지도 어언 10여 년이 훌쩍 넘었다. 한때 즐겨 사용했던 중국 화선지(죽지, 竹紙)의 고장인 안휘성(安徽省)에 자리하고 있어 감개무량(感慨無量)함은 배가되었다.

천하의 시인 묵객들이 칭송했던 명산이요, 등소평(鄧小平)이 살아생전에 황산의 아름다움에 반해 깊은 사랑에 빠졌다고 하니 가히 명산(名山) 중의 명산임엔 틀림없다. 황산을 다녀온 분이라면 대부분 옥병루(玉屛樓) 왼편에 있는 영객송(迎客松)을 만나게 된다. 옥병루 산 아래 옥병(玉屛) "곤도라"를 타고 황산 절경(絶景)을 즐기다 보면 어느새 산 정상(頂上)에 오른다. 좁은 계단階段으로 된 왼편 산길을 돌아가면 꽤나 넓은터에 작은 누각(樓閣)이 있고, 중국 특유의 붉은 글씨체가 새겨져 있는 큰 너럭바위 옆에 건사한 영객송이 여행객을 맞아준다.

"수령(樹齡)이 800년에서 1000년이 족히 된다고 하는 고송(古松)으로 한쪽 가지의 가장자리 귀가 밖으로 뻗어 나와 마치 사람이 팔을 벌려 손님을 환영(歡迎)하는 모습을 띠고 있어 영객송이라 하였다"고 한다.

그 고송(古松)의 운치(韻致)가 내 가슴에 와 닿아 즉석에서 스케치북을 꺼내어 몇 장을 건졌다. 이 스케치를 바탕으로 현장감을 번안(飜案)하고 재해석(再解析)하여 탄생(誕生)한 작품이 황산월색(黃山月色)-영객송(如客松)이다.

① 隣(Rhin)-황산월색(黃山月色)-영객송(如客松), 70×108cm, 한지, 먹, 천연혼합채색, 2011년 作
② 隣(Rhin)-황산제1송-영객송(黃山第一松-迎客松), 49×69cm, 한지, 먹, 채색, 2005년 作

①

②

■ 隣(Rhin)-사릉송(思陵松)

"임무상 아틀리에" 근처에 있는 사릉(思陵) 솔밭 초입(初入)에 오른편 깊숙이 자리한 쌍송(雙松)을 스케치했다. 기이(奇異)하고 멋들어지게 휘어져 있는 자태(姿態)가 보는 이로 하여금 절로 감탄(感歎)과 신비(神秘)로움을 준다.

단종(端宗)의 비(妃) 정순황후(定順皇后)의 애틋한 심정(心情)을 상징(象徵)하는 듯 보이기도 하고, 정다운 연인(戀人)이 정답게 나들이 나온 모양새 같기도 하여 사릉을 찾는 이들의 눈길이 자연 쌍송으로 가게 마련이다.

스케치를 바탕으로 현장감을 살려 번안(飜案)하고 재해석한 작품 "사릉송(思陵松)"은 그 바탕색을 파아란 옥색(玉色)으로 채색(彩色)한 것은 정순황후의 정절(貞節)을 담아보려는데 있다. 어쨌거나 사릉송은 순전히 단종과 정순황후의 애틋한 사랑의 징표(徵標)라고 여기며 작화(作畵)한 소나무 그림이다.

"홍유릉(洪裕陵) 인근에 있는 사릉(思陵)은 비운(悲運)의 왕인 제6대 단종의 비(妃) 정순왕후 송(宋)씨(1440~1521)의 능(陵)이다. 사릉은 왕릉보다 문화재청이 관할하는 궁(宮)과, 능(陵)에 필요한 나무를 기르는 양묘(養苗) 사업소 묘포장으로 유명하다. 묘역(墓域) 주변을 에워싸고 있는 거대한 소나무 숲은 사릉의 상징성(象徵性)을 보여주고 있다고 볼 수 있다.

1999년에는 사릉에서 재배(栽培)된 묘목(苗木)을 단종의 무덤인 영월(寧越) 장릉(莊陵)에 옮겨 심어 단종과 정순왕후가 그간의 아쉬움을 풀고 애틋한 정(情)을 나누도록 했으며, 이때 사용된 소나무를 '정령송(精靈松)'이라 불렀다"고 한다. 사릉(思陵) 쌍송(雙松)도 어쩌면 정령송이 아니었나 싶기도 하다.

□ 隣(Rhin)-사릉송(思陵松), 38×86cm, 한지, 먹, 천연혼합채색, 2018년 作

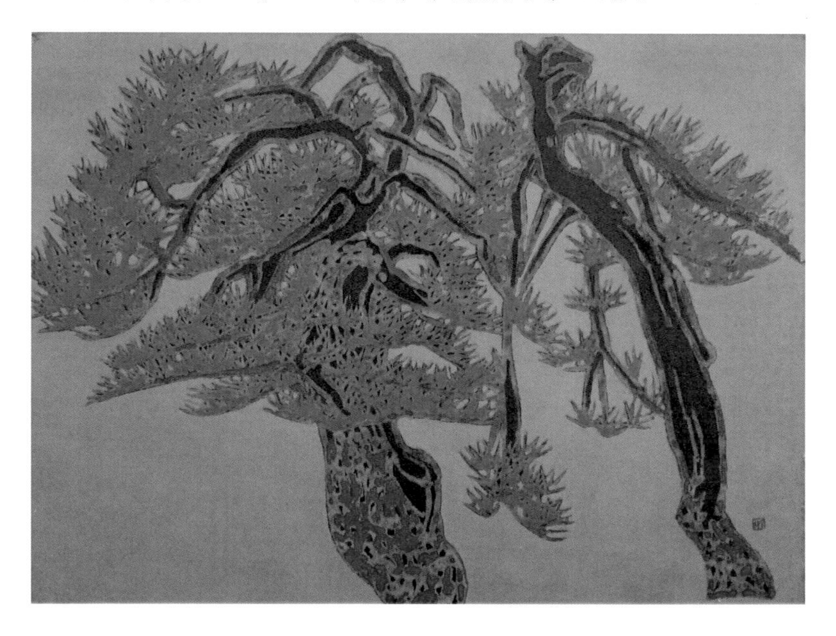

■ 隣(Rhin)-삼척(三陟) 준경묘(濬慶墓) 월송(月松)

우리 솔바람 모임에서 연중행사로 소니무 탐방(探訪) 기행(記行)을 매달 혹은 수시(隨時)로 떠난다. 삼척(三陟) 준경묘(濬慶墓) 솔숲을 보기 위해 이곳을 두 번 다녀온 것으로 기억된다. 주차장에서 도보(徒步)로 약 50분 걸리지만 접근성이 그다지 나쁜 편은 아니다. 가파른 비탈길을 따라 굽이굽이 올라가다 보면 평지(平地)가 나오고, 하늘 높은 줄 모르고 쭉쭉 뻗은 소나무 숲길로 접어들게 된다.

소나무가 내뿜는 "피톤치드" 덕분에 이곳은 맑고 깨끗한 청정지역(淸淨地域)임을 단번에 알 수 있어 송림욕(松林浴)으로는 제격이다. 천천히 걷다 보면 이내 목적지에 닿게 되고, 숲길을 빠져나오면 묘역(墓域)이 드러나는데 눈이 시원하리만큼 푸른 잔디가 곱게 펼쳐져 있어 가슴이 뻥 뚫리는 느낌이 든다. 산속 깊이 터를 잡은 묘역 양쪽에는 준수(俊秀)한 금강송(金剛松) 군락지(群落地)가 울창(鬱蒼)한 솔숲을 이루어 주변(周邊)을 둘러싼 모양새가 장엄(莊嚴)하여 감탄(感歎)이 절로 나온다.

준경묘(濬慶墓)는 조선을 건국한 태조(太祖) 이성계(李成桂)의 5대조인 양무장군의 묘(墓)이다. 우리 일행이 묘역 가장자리 그늘진 송림(松林) 아래 둘러앉아 담소(談笑)를 즐기는 동안 나와 몇몇 화우(畵友)들은 주변(周邊) 풍광(風光)을 스케치하느라 여념(餘念)이 없었다.

준경묘 기행을 마치고 돌아와 현장감을 바탕으로 재해석(再解析)하여 탄생(誕生)한 작품이 "삼척(三陟) 준경묘(濬慶墓) 월송(月松)"이다.

① 隣(Rhin)-삼척(三陟)준경묘월송(月松), 71×112cm, 한지, 먹, 천연혼합채색, 2016년 作
② 삼척 준경묘에서 <예술원 회원이신 水然 朴喜璡(박희진) 詩伯(시백)님과 함께>

①

②

■ 隣(Rhin)-월송(月松)과 송광(松光)

솔바람 기행(記行)에서 얻은 스케치 자료를 바탕으로 작화(作畵)한 소나무 그림이다. "월송(月松)"은 양산 통도사(通度寺) 들머리 소나무 숲에서 스케치했던 것이고, "송광(松光)"은 여러 지방(地方)에서 만난 반룡송(蟠龍松)들을 조합(組合)해서 변용(變容)한 작품이다.

아마도 문경시 산북면 대하리에 있는 반룡송(蟠龍松)이 바탕이 되지 않았나 싶기도 하다. 작품 "월송(月松)"은 이태리에 소장(所藏) 되어 있는 월송(月松) 작품과 같은 모델의 소나무인데 다른 방향(方向)에서 구도(構圖)를 잡은 형태(形態)의 소나무 그림이다.

이 작품은 소나무 밑둥치가 있는 풀밭을 전면(前面)에 배치하고 청녹색(靑綠色)으로 페인팅했다. 하늘빛은 검청색으로, 흰색(白色)의 심월(心月)과 하모니를 이뤄 적요(寂寥)한 밤의 분위기를 강조(强調)했다. 하므로써 달밤의 정취(情趣)를 심도(深度)있게 발현(發現)했다고 본다.

반면 작품 "송광(松光)"은 명제(命題)에 걸맞게 소나무에서 품어내는 활력소(活력素)랄까? 소위 소나무의 기상(氣像)을 화폭(畵幅)에 담아 본 것이다. 연두빛 바탕 위에 적색(赤色) 기운이 솟구치는 고송(古松)의 둥치와 소나무 가지들이 분방(奔放)하게 뻗어나간 솔가지 위에 내 뿜고 있는 푸른 솔잎의 기운생동(氣韻生動)을 표현한 것이다. 두 작품 모두 심혈(心血)을 기울인 작품(作品)인 만큼 많은 이들로부터 사랑을 받았으면 좋겠다.

① 隣(Rhin)-월송(月松), 70×107cm, 한지, 먹, 천연혼합채색, 2014년 作
② 隣(Rhin)-송광(松光), 58×90cm, 한지, 먹, 천연혼합채색, 2012년 作

①
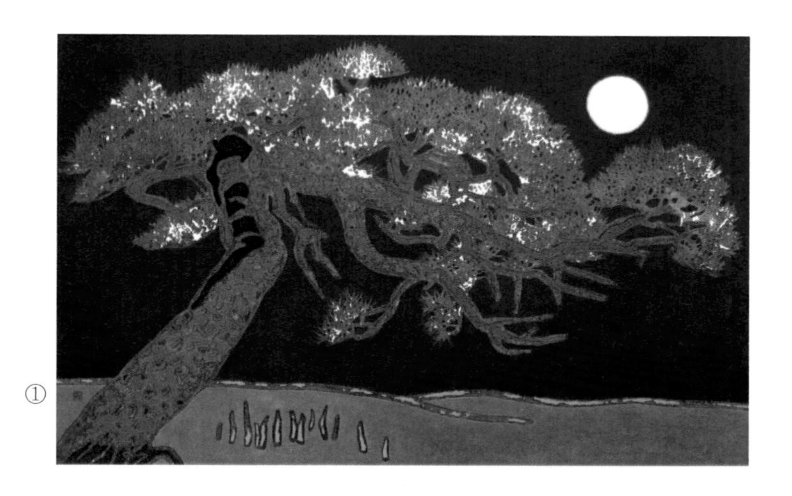

②

■ 隣(Rhin)-청령포(淸泠浦) 관음송(觀音松)

오래전에 화우들과 함께 영월(寧越) 청령포(淸泠浦)를 다녀온 적이 있다. 남한강 상류(上流)에 있는 작은 섬 같은 청령포(淸泠浦)는 이씨 조선 6대 왕인 단종(端宗)의 유배지(流配地)이기도 하다. 어린 나이에 세조에게 왕위를 빼앗긴 단종의 슬픈 역사의 흔적(痕跡)들이 곳곳에 남아 있으며, 청령포는 서쪽은 험준(險峻)한 암벽(岩壁)이 솟아 있고, 삼면(三面)이 서강에 둘러싸여 마치 섬과 같은 형상(形象)이다. 그중에도 솔밭 가운데 우뚝 서 있는 관음송(觀音松)이 백미(白眉)라고 할 수 있다. 높이 30m이며 지상 1.2m 정도에서 두 개로 갈라져 있는 노거송(老巨松)이다.

단종(端宗)은 유배생활(流配生活)을 하는 동안 갈라진 소나무 사이에 걸터앉아서 관음송(觀音松)과 친구(親舊)가 되어 지낸 때가 많았다고 한다. "본래 관음송은 불교의 관음보살에서 유래한 관음 소나무를 의미한다. 단종이 노산군이 되어 유배생활을 할 때 이 나무에 걸터앉은 비참한 모습을 보았으며(觀), 오열하는 소리(音)를 들었을 것이라고 생각하여 관음송이라고 부르게 되었다."는 주장은 후대에 만들어낸 설화(說話)로 보인다.

"우리나라에서 자라고 있는 소나무 중에서 키가 가장 큰 나무이며, 주변에서 자라고 있는 나무는 이 나무의 종자(種子)에서 퍼져나간 나무들"이라고 한다.

나는 몇 장의 스케치를 건지고 부분 부분을 카메라에 담아 돌아와 관음송(觀音松)을 작화(作畵)했다. 우람한 소나무 둥치의 붉은색은 단종의 피를 토할듯한 참담(慘澹)함을 표현했고, 푸른 솔잎은 단종의 기개(氣槪)와 지조(志操)를 상징(象徵)했다.

□ 隣(Rhin)-청령포(淸泠浦) 관음송(觀音松), 91×58cm, 한지, 먹, 천연혼합채색, 2010년 作

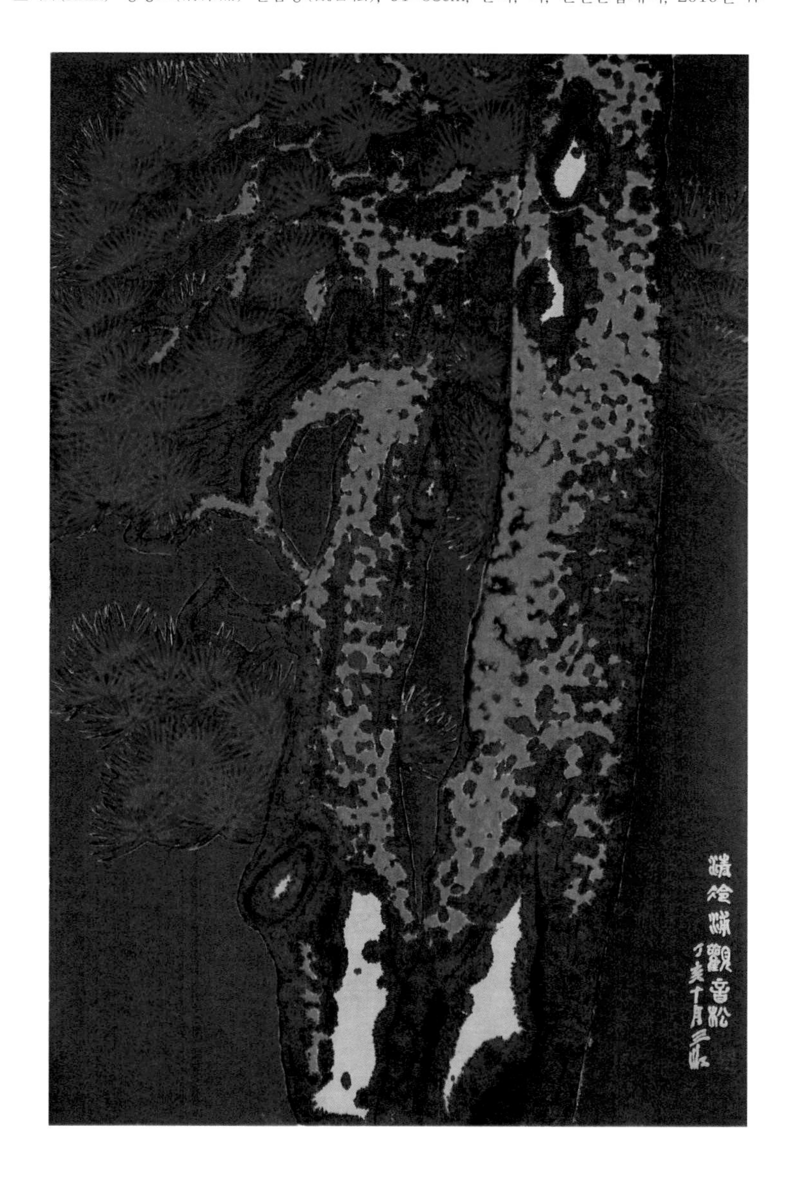

■ 隣(Rhin)-쌍송월(雙松月)

이 쌍송(雙松)은 아마도 기나긴 시간(時間)을 품고 백년(百年)을 하루 같이 살아 온 노거송(老巨松)인 까닭에 정령(精靈)이 깃들어 있을 것이다. 정령이 살아 숨쉬는 노거송을 신송(神松) 또는 신목(神木)이라 부른다.

특히 이처럼 수려(秀麗)한 쌍송(雙松)을 마주할 때면 숨이 멈출 것 같은 위압감(威壓感)과 경외(敬畏)스러움에 절로 경건(敬虔)해지기 마련이다. 꿋꿋하게 서 있는 자태(姿態)에서 오는 신비(神秘)로움이 그저 감탄(感歎)이 나올 따름이다.

그러나 가끔은 생(生)을 마감한 노송(老松)을 만날 때면 안타까움과 허탈감(虛脫感)에 빠져들기도 하지만 이내 멋진 솔밭에 들면 마음이 평온(平溫)해 지고 상쾌(爽快)해짐은 왜일까?

해마다 솔바람 모임에서 수차례(數次例) 전국 방방곡곡 산재(散在)해 있는 명송(名松)들을 찾아 떠나는데 그때마다 오늘은 어떤 소나무를 만날까? 가슴 설레는 마음이 앞선다.

오래전에 이 노거송도 어느 지방에서 스케치해 온 듯 한데 기억(記憶)이 잘 나지 않는다. 다만 코로나 펜데믹으로 3년동안 소나무 기행(記行)을 다녀오지 못한 관계로 다소 소원(疏遠)해지는 듯 하여 유감(遺感)이다. 어쨌거나 작품 "쌍송월(雙松月)"은 스케치를 바탕으로 운필(運筆)하여 우리의 전통(傳統) 빛깔을 담아 번안(飜安)하고 재해석(再解析)하여 탄생(誕生)된 소나무 그림이다.

□ 隣(Rhin)-쌍송월(雙松月), 139×75cm, 한지, 먹, 천연혼합채색, 2018년 作

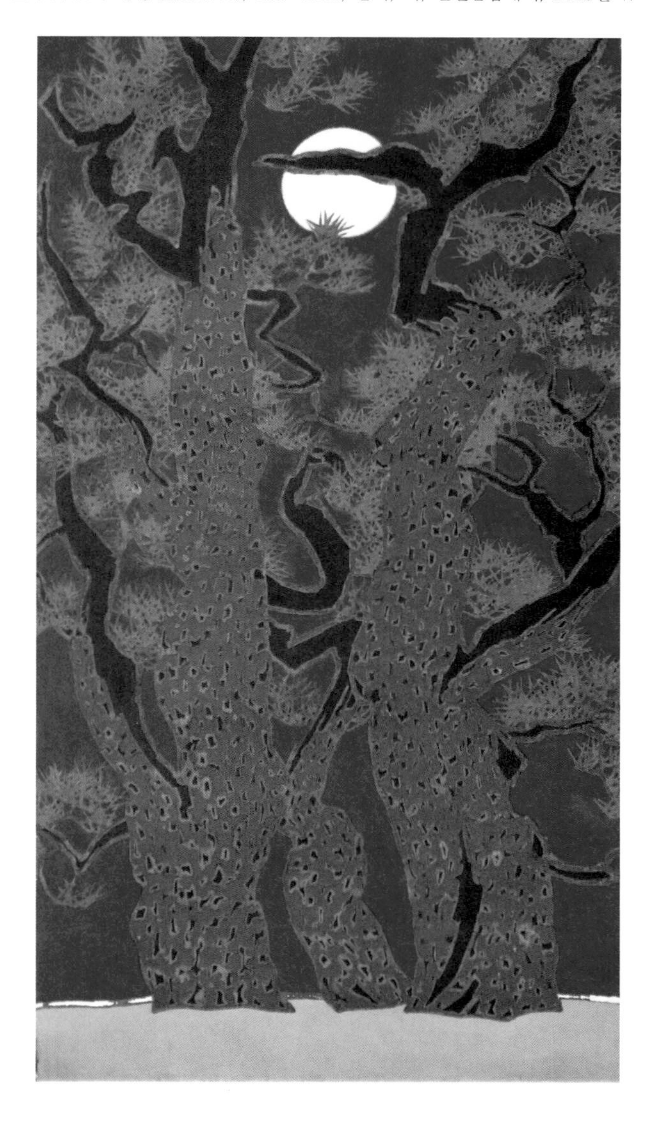

■ 隣(Rhin)-강릉산불/화마후

2000년 어느 봄날 강릉(江陵)산불 재해(災害)지역을 찾은 적이 있었다. 온통 산이 까맣게 타 버려 수목(樹木)들의 형체를 알아볼 수 없을 정도로 참혹(慘酷)한 현장이었다. 봄철에는 일교차가 크고 건조한 날씨에 강풍(强風)까지 빈번(頻繁)하여 자주 산불이 발생한다고 한다. 우리나라에서는 국목(國木)이라 할 만큼 귀중한 소나무를 비롯하여 많은 수목들이 희생될 뿐만 아니라 산발치에 사는 사람들의 생활 터전까지 일시에 빼앗기게 되는 안타까움이 반복(反復)되고 있는 것은 참으로 불행한 일이 아닐 수 없다. 이처럼 무서운 산불 재해(災害)의 현장을 찾아 그림으로 남기려는 것은 경각심(警覺心)을 고취(鼓吹)시키기 위한 일환으로 화가의 소임을 다 하고자 함이다.

봄철인 요즈음은 건조(乾燥)한 대기와 수분을 머금치 않은 풀과 나무는 산불에 취약(脆弱)하기 마련이기 때문에 각별한 경각심을 고취 시켜야 할 것이다. 이곳저곳에서 산불이 예상되고 있음으로 한번 일어나면 걷잡을 수 없는 대형 산불로 번지게 되는데 봄철 기상으로 봐서 다분히 산불은 노출(露出)돼 있는 것이다. 작은 불씨라도 이를테면 담뱃불 하나라도 엄청난 화마(火魔)가 만들어지게 마련인 만큼 각별한 주의를 기우려야 할 것이다.

잿더미가 된 처참한 산불 현장에서 받은 충격(衝擊)과 안타까운 심정을 가슴 가득 안고 돌아와 스케치를 바탕으로 번안(飜案)하여 작화(作畵)한 그림이 "강릉(江陵) 산불 이후/화마후(火魔後)"란 작품이다.

두번째 작품에서 눈이 튀어나올 만큼 놀란 장승(長丞)의 모습은 강릉 산불 지역 초입에 세워진 경고의 메시지를 담은 장송을 인용(引用)한 것이다. 오래전에 타계(他界)한 절친 K교수(강릉 관동대)가 생각난다 어디서 소식을 들었는지 화우들과 함께 내가 내려

온 것을 알고 몇몇 제자들을 동반하여 산불현장을 찾아와 환한 모습으로 맞아주던 친구가 그리워진다. 돌이켜 보면 어저께 같은데 어느새 십년이란 세월이 훌쩍 지났으니 인생무상(無常)함을 절감하게 한다.

① 隣(Rhin)-강릉산불 이후, 55×69.5cm, 한지, 먹, 토분채색, 2000년 作
② 隣(Rhin)-강릉산불-火魔後(화마후), 28×34cm, 한지, 먹, 채색, 2000년 作
③ 隣(Rhin)-강릉산불-火魔後(화마후), 47×54cm, 한지, 먹, 채색, 2000년 作

①

②

③

■ 隣(Rhin)-울진 처진소나무

울진군 근남면 행곡리(杏谷里)에 있는 천연기념물 409호로 지정된 '처진소나무'를 만난 것은 큰 행운이었다. 년전에 소나무를 사랑하는 솔바람모임 일행이 울진 소광리(召光里) 금강송(金剛松) 군락지를 찾아가는 길에 이곳을 찾은 것이다. 수형(樹形)이 마치 우산(雨傘)을 펼친 것과 같아 가지가 아래로 늘어진 모습이 기이(奇異)하여 처진소나무라 칭한 모양이다. 풍성한 솔잎이 우람한 노거송(老巨松)의 범상치 않음을 보여주고 있었다.

일설(一說)에 의하면 "울진 행곡리 청전마을이 생겨날 때 심어진 것으로 현재 마을의 상징목(象徵木)으로 보호되고 있다"고 한다. 외형은 충북 보은에 있는 정이품송(正二品松)과 유사하지만 사뭇 다른 분위기를 간직하고 있는 독특함이 있다. 게다가 소나무 아래 그다지 크지 않은 작은 비각(碑閣)이 어우러져 운치를 더하고 있다. 옛스러움이 고스란히 배어있어 그윽한 고태미(古態美)가 압권이다. 일정(日程) 관계로 즉시 화첩(畵帖)을 꺼내 스케치 두 점을 건졌다.

참고로 "1999년 4월 6일에 천연기념물(天然記念物)로 지정된 매우 희귀한 소나무로 수령(樹齡)이 약 300년 정도 되며, 높이 15m, 가슴높이둘레 2m, 뿌리목 둘레 3.2m, 가지 길이 동서 15.5m, 남북으로 15m이다. 당초 이 주변에는 소나무 숲이 형성되어 있었으나 1960년 이후 주변의 소나무는 끊어졌지만, 이 소나무는 수형(樹形)이 아름답고 모양이 특이해서 보호되고 있다. 소나무를 보기 위해 해마다 많은 사람이 찾고 있으며, 여름에는 지역주민들의 쉼터로도 이용되고 있다."고 한다. 짧은 시간 머물렀지만 나름대로 처진소나무의 진면목(眞面木)을 화첩에 담아 작업실에 돌아와 작품 두 점을 남길 수 있었던 것은 다행한 일이다.

① 隣(Rhin)-울진행곡리처진소나무, 52×37cm, 한지, 먹, 채색, 2004년 作
② 隣(Rhin)-울진행곡리처진소나무, 61×69cm, 한지, 먹, 채색, 2008년 作

①

②

■ 隣(Rhin)-월송(月松)

분홍빛 초롱이 꽃이 있는 월송(月松)이다. 분홍빛 초롱이 꽃이 있는지 모르지만, 초롱이 꽃잎에 내가 좋아하는 색을 입혔고, 소나무 빛깔도 내 마음이 가는대로 색칠한 것이다.

이 작품은 나름대로의 심오(深奧)한 밤의 정취(情趣)를 표현(表現)하기 위해 색다른 구성(構成)과 미감(美感)으로 운필(運筆)한 것이다.

사람마다 감흥(感興)이 다르고 심미감(審美感)이 다르고 취향(趣向)이 다른 만큼 보는 이로 하여금 얼마든지 다르게 보이거나 느낄 수 있을 것이다.

나의 작화(作畵)는 항상 즉흥적(卽興的) 감흥(感興)에 좌우(左右)되기 때문에 비슷하게 보이는 작품(作品)은 더러 있을 수 있지만, 자세히 들여다보면 같은 형태(形態)거나 같은 빛깔은 거의 없다.

대부분 작업은 그때그때 떠오르는 이미지를 운필(運筆)하거나, 현장(現場) 스케치를 바탕으로 번안(飜案)하고 재구성(再構成)하여 표출(表出)되는 작업(作業)들인 까닭에 그러하다.

이 "월송(月松)" 작품도 다름 아닌 것이며, 다른 테마의 월송 작품과는 극명(克明)한 차별성(差別性)을 볼 수 있을 것이다

① 隣(Rhin)-월송(月松), 72×112cm, 한지, 먹, 천연혼합채색, 2014년 作
② 隣(Rhin)-월송(月松), 43×57cm, 한지, 먹, 천연혼합채색, 2012년 作

①

②

■ 隣(Rhin)-울진소광리금강송(蔚珍召光里金剛松)

울진 소광리 금강송 군락지를 찾은 것은 꽤 오래전 일이다. 소나무를 사랑하는 솔바람 모임 년중 행사로 찾게 된 것인데 1박 2일 일정으로 다녀왔다. 서울서 일찍 출발했지만 꽤나 먼 거리이기도 하고 도중에 몇몇 소나무를 둘러보고 가서 소광리 어느 계곡 근처에 있는 예약된 숙소에 도착했을 때는 이미 어둠이 내린 뒤였다. 소백산맥을 넘어야 하기 때문에 험준한 고갯길도 있었고, 계곡을 따라가는 구비길도 있었지만, 경치가 수려하여 오랫동안 기억에 남을 멋진 여정(旅程)이었다. 때가 때인지라 가는 곳마다 단풍이 아름답게 수놓고 있어 만추(晩秋)의 정취를 만끽할 수 있어 좋았다.

깊은 산속에 자리한 건사한 펜션에서 하룻밤을 유숙(留宿)하고 소광리 금강송 만나러 아침 일찍 서둘렀다 계곡을 따라 비포장도로를 버스로 한 시간쯤 힘겹게 올라가니 멋진 노거송(老巨松) 한 그루가 숲길 초입에서 우리 일행을 맞아준다. 유난히 붉고 우아한 자태가 가히 명품이었다. 역시 명송(名松)이라 칭할 만큼 그 기상이 늠름하고 우람하기 그지없다. 스케치 한점 건지고 다시 산길을 따라 오르니 죽죽 뻗은 아름드리 금강송(金剛松)들이 군락을 이루고 있었다. 옛날 궁궐 목재로 사용했을 만큼 참으로 멋지고 잘생긴 소나무들이었다. 국송(國松)이라 칭할 만큼 여태껏 내가 만난 소나무치고는 최고의 품격(品格)이었다. 한동안 머물면서 금강송 매력에 흠뻑 취해 마음껏 송욕(松浴)도 즐기고 몇 점의 스케치를 건졌다.

참고로 "국내 최대의 소나무 군락지인 울진 소광리 금강송 숲에는 수령(樹齡) 500년 이상 된 소나무가 수백 그루, 수령 200~300년 된 금강송은 8만여 그루나 있다"고 하니 가히 국보급 명송(名松)이라 아니할 수 없다.

① 隣(Rhin)-울진소광리금강송(蔚珍召光里 金剛松), 137×69cm, 한지, 먹, 채색, 2004년 作
② 隣(Rhin)-울진소광리금강송(蔚珍召光里 金剛松), 137×69cm, 한지, 먹, 채색, 2004년 作
③ 隣(Rhin)-울진소광리금강송(蔚珍召光里 金剛松), 69×50cm, 한지, 먹, 채색, 2005년 作
④ 隣(Rhin)-울진소광리금강송(蔚珍召光里 金剛松), 62×85cm, 한지, 먹, 채색, 2004년 作
⑤ 隣(Rhin)-울진소광리금강송(蔚珍召光里 金剛松), 100×69cm, 한지, 먹, 채색, 2005년 作

①

②

③

④

⑤

■ 隣(Rhin)-흘립송(屹立松

 오래전에 고려대학교 캠퍼스를 찾은 적이 있다. 청명(淸明)한 가을날 캠퍼스는 온통 물들기 시작하여 잎새엔 가을 향기(香氣)가 잔뜩 묻어나고 있었다. 아름다운 가을 정취에 매료되어 동행한 친구와 벤치에 앉아 이런저런 담소(談笑)를 즐기는데 캠퍼스 앞뜰에 서 있는 유달리 키 큰 나무 한 그루가 시야에 들어왔다. 너무 멋지게 생겨 가까이 다가가 살펴보니 소나무는 소나무인데 여늬 소나무와 사뭇 다른 특별함이 있었다. 쭉 뻗은 울진 소광리 금강송(金剛松)과는 비견(比肩)될 수는 없지만, 하늘 높이 곧게 자란 것이 예사롭지 않았다. 덩치는 그다지 크지는 않았으나 범상치 않게 생긴 근사한 소나무가 아주 매력적이라 즉석에서 스케치 한장 건졌다.

 현장감을 마음에 담고 돌아와 이를 바탕으로 번안(飜案)하고 재해석(再解析)하여 곧바로 화선지에 옮겼다. 그렇게 완성된 그림이 작품" 흘립송"이다. 문득 서화가(書畵家) 김천두선생의 칠언시(七言詩) 흘립송(屹立松)이 떠올랐다.

萬古常靑 屹立松 (만고상청 흘립송)
孤高貞節 不淫容 (고고정절 불음용)
千秋一貫 風霜凌 (천추일관 풍상능)
今古騷人 稱頌濃 (금고소인 칭송농)

오랜 세월 동안 변함이 없이 푸르게 우뚝 서 있는 소나무여. 홀로 깨끗하고 고귀하여 음탕함을 용납하지 아니하며, 긴 세월 동안 변함없이 바람서리를 모질게도 견뎌내었으니, 예나 지금이나 사람들로부터 칭송이 자자하구나!

□ 隣(Rhin)-흘립송(屹立松), 63.5×21cm, 한지, 먹, 천연혼합채색, 2016년 作

# 곡선미학과 공동체정신

隣(Rhin)-old feeling. 50×56cm, 한지, 먹, 토분채색, 2013년 作

■ 隣(Rhin)-Composition/평화(平和)

삼원색(Color)이라면 빨강(Red), 파랑(Blue), 노랑(Yellow)을 말한다. 이 작품 상단(上段)에 3개의 원형(圓形)의 삼원색(三原色)은 파랑색 대신 녹색(Green)을 인용(引用)한 것은 순전히 그림의 상징성(象徵性)에 그 의미(意味)를 두었다.

실은 이 작품의 이미지인 평화(平和)를 강조하기 위해서다. 일반적(一般的)으로 평화를 상징(象徵)하는 색은 파랑색(靑色)이지만 그 외에도 흰색, 초록색, 보라색 등으로 표현(表現)되기도 한다.

나의 조형언어(造形言語)인 곡선공동체(曲線共同體) 미학(美學)에는 평화가 내재(內在)되어 있다. 평화(平和)는 안정(安定)되고 활력(活力)이 있고, 밝고 따뜻해야 하는 까닭에 나름대로 녹색(綠色)을 택(擇)하게 된 이유(理由)이다.

문제는 삼원색(三原色)을 합하면 어떠한 색상(色相)도 만들 수 있다는 사실(事實)이다. 이렇듯 진정(眞正)한 평화(平和)는 반목(反目)과 갈등(葛藤)을 지양(止揚)하고 서로 화합(和合)하고 개인의 자유와 권리를 보장할 수 있는 어떠한 색상(色相)도 만들어 낼 수 있어야 한다.

작품 "Composition/평화(平和)"는 삼원색(三原色)이 어우러지듯 평화를 기원(祈願)하는 상징적 의미를 담고있다.

□ 隣(Rhin)-Composition/평화(平和), 70×45cm, 한지, 먹, 천연혼합채색, 2010년 作

■ 隣(Rhin)-홀로와 더불어

구상(具常)시인 탄생(誕生) 100주년기념초대展에 출품(出品)한 작품이다. 달의 정체성(正體性)에 자신의 정체성을 접목하여 달의 본성(本性)과 민남으로서 달을 의인화(擬人化) 하였다. 그리고 지난날 민초(民草)들의 삶의 터전이었던 초가와 초가마을에 내재 되어있는 협동심과 공동체 정신을 근간(根幹)으로 더불어 살아가는 모습들을 형상화(形象化)한 작품이다.

다시 말해서 달은 홀로인 까닭에 구상시인을 의인화 했을수도 있고, 민초들이 어우러져 살아가는 공동체의 상징인 곡선미학(曲線美學)은 작품 "홀로와 더불어"의 표상(表象)이라 할 수 있다.

나는 홀로다
너와는 넘지 못할 담벽이 있고
너와는 건너지 못할 강이 있고
너와는 헤아릴 바 없는 거리가 있다.

나는 더불어다.
나의 옷에 너희의 일손이 담겨 있고
나의 먹이에 너희의 땀이 배어 있고
나의 거처에 너희의 정성이 스며 있다.

이렇듯 나는 홀로서
또한 더불어서 산다.

그래서 우리는 저마다의 삶에
그 평형과 조화를 이뤄야 한다.

구상시인의 대표작 <홀로와 더불어> 시(詩)이다. 구상시인 탄생 100주년기념전(혜화아트센터)에 "홀로와 더불어" 주제로 된 작품을 출품하게 된 것은 큰 홍복(洪福)으로 여기고 있다.

□ 隣(Rhin)-홀로와 더불어, 53×45.5cm, 한지, 먹, 천연혼합채색, 2010년 作

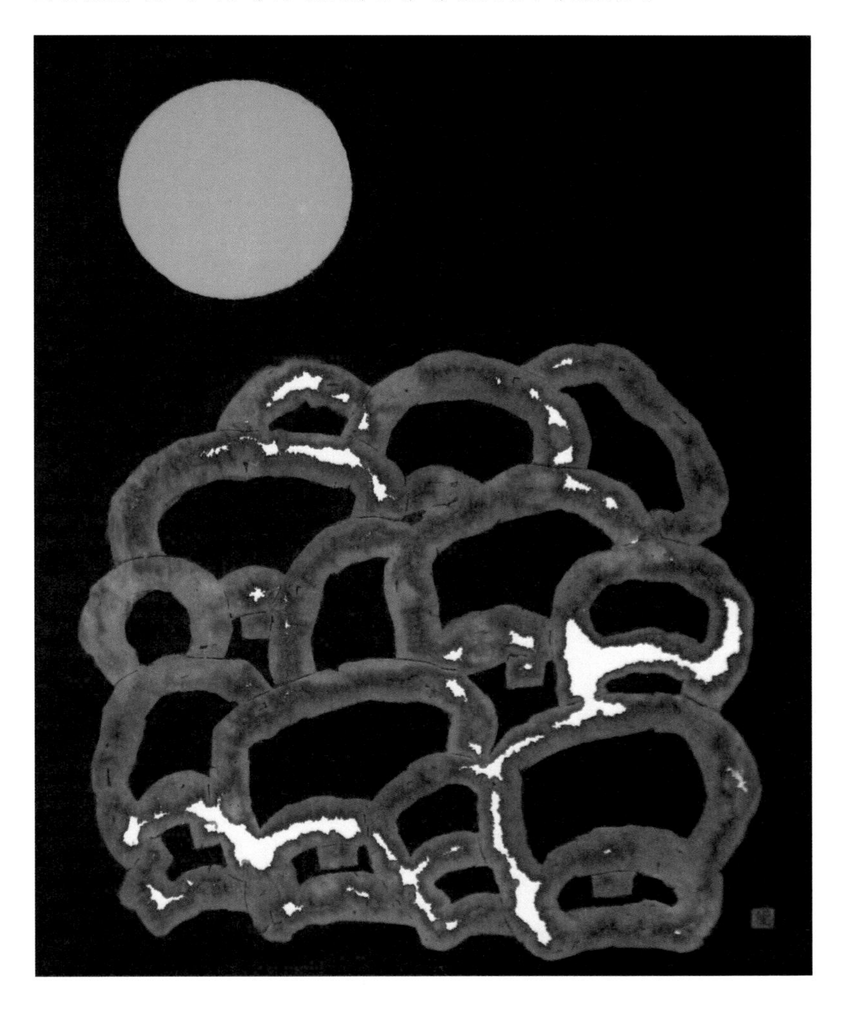

■ 隣(Rhin)-일상(日常)

작품 "일상(日常)"은 보고 듣고 느꼈던 그대로 우리네 삶의 일부분을 조합(組合)하여 구성한 작품이다. 아래 초가(草 家) 다섯 동(棟)은 동, 서, 남, 북, 중앙 즉 오방(五方/방향이 되는 가준)을 상징한 것이고 중앙의 원(圓)은 린(隣/이웃), 즉 너와 내가 아닌 우리라는 원융무애(圓融無碍)한 공동체정신을 상징한 것이다. 가운데 가부좌(跏趺坐)한 인물(부모 또는 나일 수 있음)은 매일같이 자손들의 무애(無碍) 무탈을 빌고 가정이 화목(和睦)과 저마다 바라는 소망(所望)을 기원하는 치성(致誠)의 의미를 담고 있다.

바탕에 거칠한 마티에르 느낌을 준 것은 이 풍진(風塵)세상을 표상(表象)하기 위함이다. 지금은 퇴색된 풍경이기는 하지만, 유년시절엔 흔히 볼 수 있는 우리네 풍속도(風俗圖이다. 아직도 이러한 정서가 마음속 깊이 새겨져 있어 일상(日常)이 되고 있다.

당시에는 모두들 궁핍(窮乏)한 삶 속에서 대가족이 함께 살았던 관계로 끈끈하고 소박한 풍습이 보편화되었지만~ 지금도 모든 부모님의 가슴속엔 깊게 자리하고 있을 것이다. 가족들을 위한 기도(祈禱)로 하루를 여는 것이 모든 부모님의 마음이기 때문이다. 먹을 풀고 운필하는 순간에도 기도는 나에게 생활상(生活相)이 된지 오래다.

작품 "일상(日常)" 또한 다름아닌 것이며 사람의 도리(道理)인 동시에 모든 가정의 규범이 되는 보편적 가치를 담은 것이다.

□ 隣(Rhin)-일상(日常), 62×83cm, 한지, 먹, 채색, 1998년 作

■ 隣(Rhin)-We우리

작품 <린隣(Rhin)-We우리>는 린(隣) 시리즈 중에 반구상(半具象) 작품에 속(屬)한다. 자세히 들여다보면 초가(草家)의 형태(形態)들이 얽히고 설킨 인간관계(人間關係)를 보여주듯 서로 어우러져 한 덩어리를 이루고 있다.

곡선공동체(曲線共同體)의 본질(本質)은 한 가족(家族)처럼 서로 돕고 서로 나누며 보듬듯 협동심(協同心)을 근간(根幹)으로 하고 있다. 따라서 초가(草家)와 초가마을은 이웃(隣) 공동체문화(共同體文化)의 근본이라 할 수 있다.

왜냐하면 린隣(이웃)은 원융(圓融)한 것이어서 너와 내가 다름이 아닌 "우리" 라는 의미(意味)를 담고 있기 때문이다. 자고(自古)로 "초가(草家)는 인간(人間)과 자연(自然)의 축제적(祝祭的) 만남이라"고 일컬어 왔다. 그만큼 초가문화(草家文化)는 자연을 거스리지 않고 순응(順應)하며 조화(調和)를 이루는 까닭에 자조(自助)와 협동심(協動心)이 자연스럽게 길러지는 것이다.

작품 "隣(Rhin)-We우리" 는 다름 아닌 것이며, 하나가 모두요 모두가 하나됨을 보여주고 있다. 다시 말해서 공동체 정신의 상징성을 극명(克明)하게 보여주는 작품이라 하겠다.

① 隣(Rhin)-We우리, 71×81cm, 한지, 먹, 천연혼합채색, 2014년 作
② 隣(Rhin)-We우리, 40×31cm, 두방지, 먹, 채색, 2020년 作

①

②

■ 隣(Rhin)-녹색지대(綠色地帶)

화우(畵友)들과 정선(旌善)에서 영월(寧越) 나루까지 신나게 레프팅을 즐겼던 적도 꽤 오래됐다. 산자락을 굽이굽이 휘몰아쳐 흘러가는 동강(東江)은 마치 뱀이 기어가는 듯한 사행천(巳行川)을 이루고 있다. 산세(山勢)는 깎아지른 듯 하여 절벽(絶壁) 지형(地形)을 이루고 있는데다가 워낙 청정(淸淨) 지역(地域)이라 그 정기(精氣)가 소쇄(瀟灑)하기 그지없고 흐르는 강물 또한 시리도록 맑아 명경지수(明鏡止水) 그대로다. 자연의 생태계(生態系)가 살아 꿈틀대는 동강(東江)의 비경(秘景)은 태고적(太古的) 신비(神秘)로움을 고스란히 간직하고 있었다. 수달, 어름치, 쉬리, 버들치, 원앙, 황조롱이, 솔부엉이, 소쩍새, 비오리, 흰꼬리 독수리 등 많은 천연기념물(天然記念物)과 희귀(稀貴) 동식물(動植物)이 서식(棲息)하는 생태계의 보고(寶庫)였다.

이처럼 자연환경(自然環境)이 청정(淸淨)하고 산수(山水)가 수려(秀麗)하여 절로 감탄(感歎)과 감흥(感興)이 인다. 1시간 30여분 스릴을 만끽하며 레프팅을 즐기는 동안 동강의 정취(情趣)를 만끽하기에 충분했다.

아름다움과 청정함을 마음껏 가슴에 담고 돌아와 이를 바탕으로 "녹색지대(綠色地帶)" 시리즈를 운필(運筆)하였다. 당시(當時) 동강을 찾았을 때 받은 감동과 심미감(審美感)을 번안(飜案)하고 재해석(再解析)하여 탄생(誕生)된 작품 "녹색지대(綠色地帶)"는 청정(淸淨)함 그대로며 나름대로 동강의 진면목을 노래한 것이다.

① 隣(Rhin)-녹색지대(綠色地帶), 56×70cm, 한지, 먹, 채색, 1999년 作
② 隣(Rhin)-녹색지대(綠色地帶), 57×70cm, 한지, 먹, 채색, 1999년 作
③ 隣(Rhin)-녹색지대(綠色地帶), 31×36cm, 한지, 먹, 채색, 1999년 作
④ 隣(Rhin)-동강별곡(東江別曲), 82×56cm, 한지, 먹, 채색, 1999년 作

①

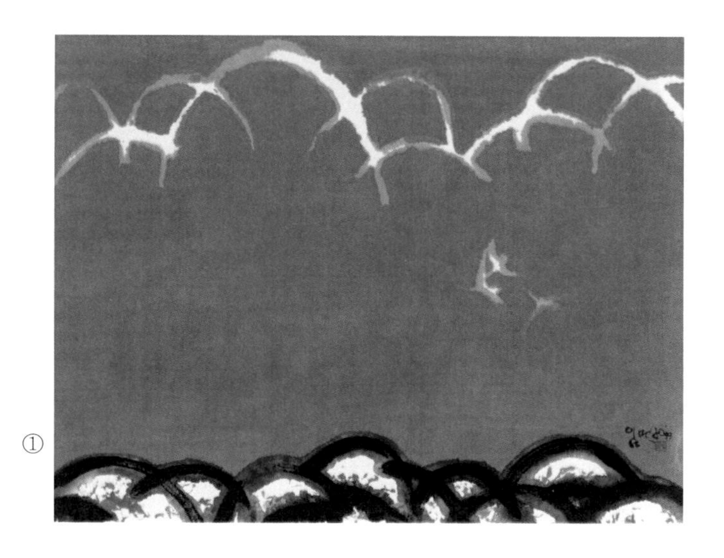

②

③

④

■ 隣(Rhin)-Common society

작품 "Common society"는 오래전에 공평아트센터 1층 전관(全館)에서 있었던 임무상 작품전에 출품한 그림이다. 이 작품은 곡선(曲線) 공동체(共同體)의 미(美)의 대표작(代表作) 중에 하나이다. 초가(草家)와 초가마을을 함축적(含縮的)으로 하나의 울타리 안에 묶어 공동체문화(共同體文化)의 표상(表象)과 협동정신(協同精神)을 상징적으로 보여주는 작품이라 하겠다.

서로 오손도손 정(情)답게 이웃간의 벽(壁)을 허물고 콩 반쪽이라도 나눠 먹던 애틋한 지난날 마음속에 자리하고 있는 고향의 풍속도다. 바탕위에 얼룩처럼 흩어져 보이는 무늬들은 민초(民草)들의 삶의 애환(哀歡)이 배어있음이요, 맑고 투명한 색인 백청록(白靑綠)은 따뜻한 이웃간의 인정(人情)과 사랑을 구현함이다. 함으로 내가 담아내려고 했던 초가마을(고향)에 내재(內在)되어 있는 공동체 의식과 곡선미학을 탐구(探究)하고 모색(摸索)한 작품이라 할 수 있겠다. 공평아트센터 개인전 때 모(某) 영화사(映畵社)에서 제작한 영화 "클래식"에 전시 장면으로 상영(上映)된 작품 중의 하나이다.

□ 隣(Rhin)-Common society, 48×55cm, 한지, 먹, 채색, 2001년 作

■ 隣(Rhin)-모정(母情)

이 그림은 내 어머니의 삶이요 모습이다. 어린 동생은 어머니 등에 엎혀서 잠에 취해 고개를 떨구고 세상 모르게 자고있다. 어머니 곁에서 함께 걸어가는 소년은 나의 어린 시절(時節) 모습이다. 마실(마을) 나갔다 귀가(歸家)길 추억을 떠올리며 작화한 것이다. 웃음 잃은 어머니의 모습에서 무표정(無表情)한 나의 모습에서 당시 삶의 고단함을 엿볼 수 있다. 바탕에는 옹기종기 모여사는 농촌의 초가마을을 그려 넣었고, 50여호 정답게 살아가는 산촌이지만 한학자(漢學者)가 많은 선비 마을로 알려져 그 이미지를 약간의 고서(古書) 파지(破紙)를 오브제로 인용(引用)하였다.

6.25 전란(戰亂)에 보리고개에 궁핍(窮乏)한 생활이 이어졌지만 마을 사람들은 서로 나누고 도우며 그 어렵고 고단한 삶을 감내(甘耐)하며 살아 참 아름다운 시절이었다. 그렇게 고생만 하시다가 나의 어머니는 49세라는 짧은 생을 마치고, 황망(慌忙)히 세상(世上)을 떠나셨다. 어언 60년이란 세월이 흘렀으니 많이 그립다!
존경하는 김산수교수님의 "어머니라는 존재" 시(詩)가 가슴 깊이 다가와 8, 9행 시를 모셔왔다.

8_ 아
어머니는 성스럽구나—
어머니는 고결하구나
어머니는 영원한 새끼의 하인
모시옷이자
따뜻한 무명 솜이불이구나

9_ 아! 어머니
그 어머니가 이제 내 곁엔 없구나
아무리 휘저어 봐도
내사랑, 내생명, 그 어머니가
이젠 내 곁에 계시지 않는구나
아! 어머니

□ 隣(Rhin)-모정(母情), 43×33cm, 한지, 먹, 채색, 2000년 作

■ 隣(Rhin)-"모정(母情)"과 "사랑"

어머니의 사랑은 하늘보다 높고 바다보다 넓다고 한다. 저마다 어머니의 사랑에 대한 절절함이 있겠지만, 작품 "모정(母情)"과 "사랑"은 49세의 젊은 나이에 세상을 하직하신 나의 어머니에 대한 사모곡(思母曲)이다. 억수로 궁색(窮塞)한 살림살이에 오직 자식을 위해 한평생 받쳐 살아오신 어머니의 애틋한 사랑의 순애보(殉愛譜)이다.

시골 오지(奧地)마을 빈농(貧農)의 아들로 태어나 중학교는 읍내 고모님댁 도움으로 겨우 졸업했지만, 고등학교 진학은 꿈도 꾸지 못할 만큼 구차(苟且)한 집안이었다. 불타는 향학열은 걷잡을 수 없어 작심(作心)하고 집을 떠나 무작정 상경길에 올랐다. "남아입지 출향간 학약물성 사불환(男兒立志 出鄕關 學若不成 死不還)" 남자가 뜻을 새워 고향을 떠나 배움을 이루지 못하면 죽어도 돌아가지 않는다는 결연(決然)한 의지로 집을 나선 것이다.

주경야독(晝耕夜讀)으로 희망하던 S고등학교(당시에 예술 고교로 알려짐)에 입학하면서부터 꿈을 키워갈 수 있었다. 방학 때 집에 오면 가난에 찌든 어머니 얼굴에는 항상 미소 한번 잃지 않고 환한 모습으로 나를 맞아주셨다. 서울에서 공부하는 아들이 그저 대견스럽고 기특하기 그지없기에 고된 삶이었지만 어머니께서는 삶의 버팀목이었을 것이라는 생각이 든다. 더구나 나이 30에 얻은 늦둥이라 애지중지(愛之重之) 키운 자식이 객지에 나가 고생하는 것을 늘 마음 아파하고 안스러워 하셨다. 그러나 정작 효도 한번 제대로 못해드리고 돌아가신 어머니가 많이 그립고, 죄송할 따름이다. 생각해 보면 어머니와 함께 살았던 지난 유년기는 물론 청소년 시기에 어머니의 크나 큰 사랑이 없었다면 오늘의 나는 없을 것이다. 어머니의 고귀한 사랑이 늘 마음속 깊은 곳에 자리하고 있어 회한(悔恨)과 그리움의 편린들을 모아 구성하여 작화(作畵)한 것이 "모정(情)"과 "사랑"이란 작품이다.

① 隣(Rhin)-모정(母情), 99×128cm, 한지, 먹, 채색, 2002년 作
② 隣(Rhin)-사랑, 68×65.5cm, 한지, 먹, 채색, 2000년 作

①

②

■ 隣(Rhin)-마을지킴이/장승(長丞)

내가 작화(作畵)하는 장승(長丞)은 주로 희로애락(喜怒哀樂)을 테마로 옹기종기 모여있는 초가(草家) 마을이 배경이 되어 문자(文字)를 오브제로 인용(引用)하여 운필(運筆)한다. 인생에 있어 기쁨과 노여움, 그리고 슬픔과 즐거움을 희로애락이라 한다. 말하자면 사람의 여러가지 감정을 아울러 이르는 글귀라고 할 수 있다.

일반적으로 장승의 기능은 지역간의 경계(境界)의 표지(標識), 즉 이정표(里程表) 구실을 하기 위해서이고, 또한 마을의 수호신(守護神) 역할을 해 왔다고 전해 오고 있다. 마을 신앙(信仰)의 대상으로서 주로 액병(厄病)을 물리치기 위하여 세워진 조형물이라 하겠다. "유교(儒敎) 경전 중용(中庸) 제1장에 기뻐하고, 성내고, 슬퍼하고, 즐거워하는 감정이 일어나지 않는 상태를 중(中)이라 하고, 이 감정들이 일어나되 모두 절도에 맞는 상태를 화(和)라고 한다. 중(中)은 천하의 근본이요, 화(和)는 천하에 두루 통하는 도(道)이니 중과 화를 지극히 하면 천지(天地)가 편안히 자리하고 만물(萬物)이 제대로 길러진다"라고 했다. 결국 희로애락(喜怒哀樂)은 인간의 모든 감정을 통틀어 일컫는 것으로서 길흉화복(吉凶禍福)과 일맥상통(一脈相通)하는 글귀라 볼 수 있다.

함으로 수호신인 장승(長丞)을 의인화(擬人化)하여 인간(人間)의 모든 감정을 이입(移入)하여 그 상징성(象徵性)을 보여주기 위해 운필(運筆)한 작품이 "마을 지킴이" 이라 할 수 있다. 앞에서도 언급한 바 있지만 장승에 인용된 문자는 수호신으로서 마을의 안위(安危)를 위한 주문(呪文)으로 이해하면 될 것이다.

① 隣(Rhin)-마을지킴이, 68×37cm, 한지, 먹, 채색, 1998년 作
② 隣(Rhin)-장승(長丞), 70×31cm, 한지, 먹, 채색, 1998년 作
③ 隣(Rhin)-마을지킴이, 70×41cm, 한지, 먹, 채색, 1998년 作
④ 隣(Rhin)-마을지킴이, 68×56cm, 한지, 먹, 채색, 1997년 作

■ 隣(Rhin)-"마을 지킴이" 와 "축원(祝願)"

밤의 야상곡이 흐르는 향수((鄕愁) 짙은 고향의 밤 풍경이다. 농촌의 서정성이 묻어나는 소박하고 풋풋한 정경(情景)이 적막감에 쌓여 신비스럽기 그지없다. 세상은 모두 고요히 잠든 야반삼경(夜半三更)의 깊은 밤 분위기가 고스란히 스며있다. 우리만의 독특한 이 신비롭고 오묘한 서정(舒情)을 어찌 말로 글로 표현하리오 마는 생각하면 구비구비 찌든 가난에 힘겨웠던 시절을 용쾌도 잘 견뎌온 것은 이러한 정서가 묻어나는 끈끈한 이웃이 있었기 때문이 아닌가 싶다.

평소 즐겨 읊었던 송나라 시인 소강절(邵康節)의 명시 청야음(淸夜吟)이 떠오른다.
"월도천심처 풍래수면시 일반청의미 료득소인지(月到天心處 風來水面時 一般淸意味 料得少人知) 달이 하늘 가운데 이르고 실바람이 물위에 살랑살랑 내려앉을 무렵, 일반적으로 그 교교한 청아한 맛을 음미할 수 있는 사람은 그리 많지 않으리라"

듬직한 장승(長丞)이 마을을 지켜주고 맑은 샘물을 길러다 깨끗한 소반(小盤) 위에 정화수 올려 정성껏 치성을 드리는 어머니의 축원(祝願)이 낭낭히 들려온다. 지난날 우리네 고향은 따뜻한 이웃 사랑과 정(情)으로 뭉쳐져 훈훈함이 넘쳐났기에 우리의 가슴속에 깊이 자리하고 있는 것이다. 지금 돌이켜 보면 궁핍했지만, 그 때가 아름다운 것은 사람 냄새가 물신 묻어났기 때문이 아니었나 싶기도 하다.

작품 "마을 지킴이" 와 "축원(祝願)"은 고향의 구수한 서정(抒情)과 그윽한 밤의 정취(情趣)를 표현한 작품이라 하겠다. 그림을 통하여 동시대 살았던 모든 분들과 잊혔던 향수를 공유하며 위안이 되었으면 하는 바람이다.

① 隣(Rhin)-마을지킴이, 115×55.5cm, 한지, 먹, 채색, 1998년 作
② 隣(Rhin)-축원(祝願), 69×45cm, 한지, 먹, 채색, 1997년 作

①

②

■ 隣(Rhin)-Composition

작품 "Composition"은 초가(草家)와 초가마을에 내재(內在)되어 있는 곡선의 아름다움을 조합해서 구성한 어울림의 미학이다.

전면의 초가는 현상(現象)이요 후면의 곡선 집합체는 곡선미학과 공동체정신의 표상이다. 언뜻 보면 가을 풍경 같고, 겨울 풍경을 재구성한 듯 보이지만 실은 어쩌다 표출되었을 뿐 동기(動機) 부여(附與)는 하지 않았다. 다만 공동체 정신이 갖고 있는 원론적(原論的)인 이해와 곡선의 본질적인 미감(美感)에 접근(接近)하기 위한 방편(方便)일 뿐이다.

이를테면 원융무애한 곡선의 아름다움과 공동체 정신을 탐구(探究)하고 모색(摸索)하는데 그 목적이 있는 것이다. 손에 손잡고 어깨동무하듯 서로 어우러져 한 덩어리가 되어 조화로움을 구현(究現)하기 위한 당위성의 발로(發露)였다. 딱딱하고 완벽하고 획일적(劃一的)인 직선(直線)에 비해 곡선은 굽이지고 우연(柔軟)하며 관용(寬容)이 있으므로 해서 예로부터 우리 겨레는 유달리 정이 많고 이웃사랑과 공동체 의식이 투철(透徹)하였다. 따라서 어려움이나 위기가 닥쳤을 때 서로 도와주고 나눠주고 이끌어주는 인간애(人間愛)와 협동심(協同心)이 스스로 우러나게 되는 우리네 이웃이었다.

작품 "Composition"은 다름 아닌 것이며 고향의 초가와 초가마을의 공동체의 정체성을 표상(表象)하고, "곡선미학과 공동체 정신"의 상징적 의미를 담았음을 밝혀둔다.

① 隣(Rhin)-Composition, 53×61cm, 한지, 먹, 채색, 2005년 作
② 隣(Rhin)-Composition, 48×58cm, 한지, 먹, 채색, 2005년 作

①
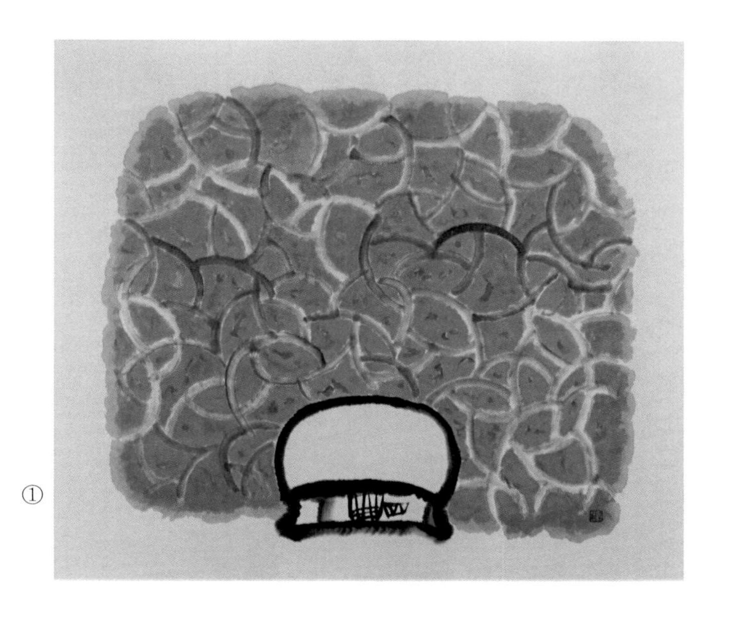

②
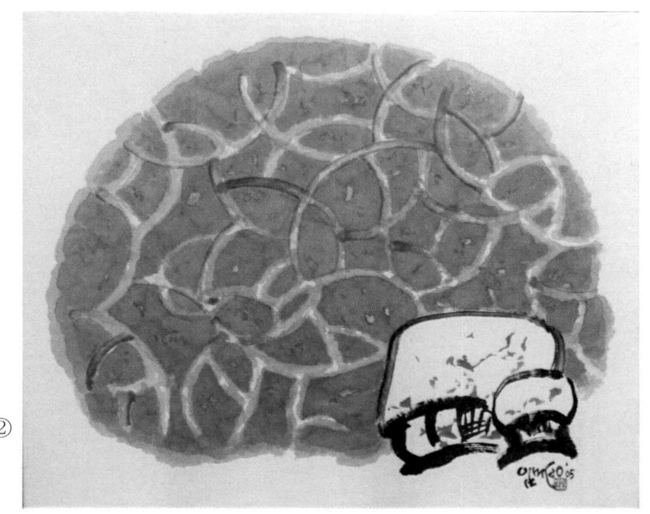

■ 隣(Rhin)-공동체(共同體)정신과 곡선(曲線)미학

"수묵(水墨)의 형이상학적(形而上學的) 관점을 극대화하여 추상적(抽象的) 화면을 만들고 변천(變遷)해가는 서구(西歐) 예술사조(藝術思潮)의 유입을 통하여 내용과 형식상 많은 변모(變貌)를 보여 왔다"고 본다.

특히 한국화(韓國畵)의 신(新) 조형사고(造形思考)로 접근하는 과정에서 반구상(半具象)과 비구상(非具象)이 많이 쏟아져 나오기도 했다. 문제는 자기 개성(個性)과 빛깔이 분명하게 담겨있어야 하고, 어디서 본듯한 형태(形態)의 작업(作業)이나 비슷한 작품들이 양산(量産)되는 것은 피해야 할 부분이다. 작화(作畵)의 덕목(德目)은 창의성(創意性)에 있다. 자기 나름대로의 개성(個性)이 살아 꿈틀대는 호방한 운필(運筆)이나 디테일한 조형미(造形美)에서 특별함이 빛어나야 좋은 그림이라고 할 수 있을 것이다. 이를테면 자연(自然)과 생명(生命)이 깃든 절제된 사유(思惟)와 형태의 미감(美感)으로 승화(昇化)된 예술적 이미지, 혹은 동서양의 사상과 철학을 아우르는 사유의 정신성(精神性)이 바탕에 깔려 발현(發現)되는 결과물이라야만 독창적인 걸작(傑作)을 얻을 수 있으리라는 생각이다.

아직 설익은 부분이 있지만 "공동체 정신과 곡선미학"은 원융무애(圓融無碍)한 심미감(審美感)이 내포돼어 있으므로 보는 이로 하여금 순후(淳厚)한 정감(情感)과 담박(淡泊)한 미감(美感)을 엿볼 수 있으리라 본다. 작품엔 정답(正答)은 없지만 분명한 것은 어디에서도 비견(比肩) 될 수 없는 유일(唯一)한 나만의 미감(美感)이요 조형(造形)임을 자부(自負)할 수 있는 대목이다.

① 隣(Rhin)-Untitled 65×24cm, 한지, 먹, 토분채색, 2003년 作
② 隣(Rhin)-Common society, 71×49cm, 한지, 먹, 채색, 2000년 作
③ 隣(Rhin)-Untitled, 102×81.5cm, 한지, 먹, 채색, 1998년 作

①

②

③

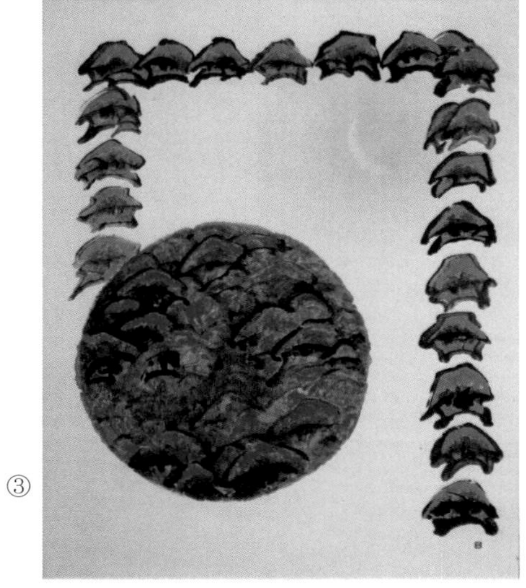

■ 隣(Rhin)-Common society

"고향 이야기" 주제로 개인전을 갖기는 1998년 동덕아트갤러리에서 가진 이후 이번 "문화공감 소창다명(小窓多明)"에서 두번째 발표전이다. 내가 태어나고 자란 초가(草家)마을이 모티브가 된 것이다. 농경사회에서는 흔히 볼 수 있는 생활상과 미풍양속일 수 있지만 산업사회를 거쳐 첨단 정보화 사회로 접어든 오늘날엔 많은 변모를 가져온 것은 사실이다.

옛것만을 고수(固守)한다는 것 만이 능사(能事)는 아닐지라도 온고지신(溫故知新)의 덕목(德目)은 지켜져야 할 것이다. 인간이라면 도리는 사람의 근본(根本)인 까닭에 당시 우리네 삶에서는 사람냄새가 물씬 묻어나고 인정(人情) 넘치는 삶이었다. 가난했지만 그때가 행복했다고들 하는 이유는 인간의 도리(道理)가 흔들림이 없었기 때문이다.

당시는 이웃간에 담을 허물고 콩 반쪽이라도 나눠먹던 인정넘치는 이웃이 있었다. 이웃(隣)은 너와 내가 아닌 우리라는 공동체문화(共同體文化)가 자리하고 있었던 것이다.

작품 "Common society"는 다름아닌 것이며 공동체 미학(美學)의 표상이라 할 수 있다. 일본 사학자 야나기 무네요시(柳宗悅)는 "초가의 외형에서 조선시대 백자(白瓷)에서처럼 후덕한 모성애(母性愛)와 평화를 느낀다."고 했다. 포근한 어머니 품과 같은 초가마을은 우리 모두의 마음의 고향이다. 또한 초가는 인간(人間)과 자연(自然)의 축제적 만남이라 했다. 대우주와 소우주의 합창이라 칭송할 만큼 초가문화의 예찬(禮讚)은 회자되고 있는 것이다.

① 隣(Rhin)-Common society, 46×53cm, 한지, 먹, 채색, 2001년 作
② 隣(Rhin)-Common society, 68×71.5cm, 한지, 먹, 채색, 1997년 作

①

②

■ 隣(Rhin)-Composition

수묵(水墨)의 운필과 한지(韓紙) 부조의 접목은 평면과 입체의 조화로움을 얻기 위한 작업이라 하겠다. 묵의 호방한 필선과 한지의 순백(純白)의 고결함이 절묘하게 어우러져 곡선의 하모니를 연출(演出)하기 위함이다. 초가(草家)를 모티프로 하여 다양한 작업을 모색(摸索)하는 과정에서 빚어나온 작품으로써 나름대로의 심미감을 탐구한 "Composition" 은 당시 그림 애호가들로 부터 호평을 받았던 작품이다.

새즈믄해 11월 공평아트센터 1층 전관에서 "곡선공동체의 미" 라는 주제(主題)로 발표했던 개인전에 출품한 작품이다. 당시 작가의 변(辯)에서 다음과 같이 피력했다. 내 그림 속엔 민족의 혼(魂)과 정(情)이 담겨있다. 그것은 이웃 공동체(共同體) 정신(精神)과 곡선미학(曲線美學)이 접목된 새로운 형상화 작업을 시도한 한국성 창출(創出)이며, 내 그림의 주제인 린(隣/Rhin)은 수묵의 모더니즘 추구에 그 의미를 두고 있는 것이다.(하략)

작품 "Composition"은 다름 아닌 것이며 나의 회화(繪畵)의 근간(根幹)이 되었던 작품이라 볼 수 있다. 앞서도 언급한 바 있지만, 부조(浮彫) 작품은 배접 작업과정에서 생기는 파지(破紙)나 남은 풀물을 재활용하여 탄생된 작품이다. 특히 파지나 풀을 아껴쓰기 위함도 있지만 남은 풀물이나 물감들을 하수구(下水溝)에 마구 버려 오염(汚染)시켜서야 되겠는가 하는 생각에서 얻어진 결과물이기 때문에 애정이 많이 가는 작품이라 하겠다.

① 隣(Rhin)-Composition, 104×122cm, 한지, 먹, 채색, 2002년 作
② 隣(Rhin)-Composition, 24×68cm, 한지, 먹, 채색, 1998년 作

①

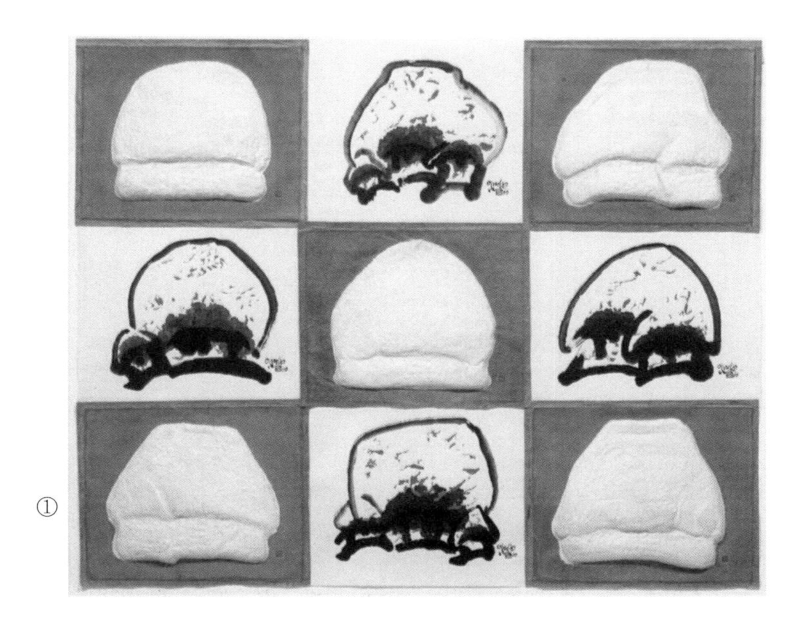

②

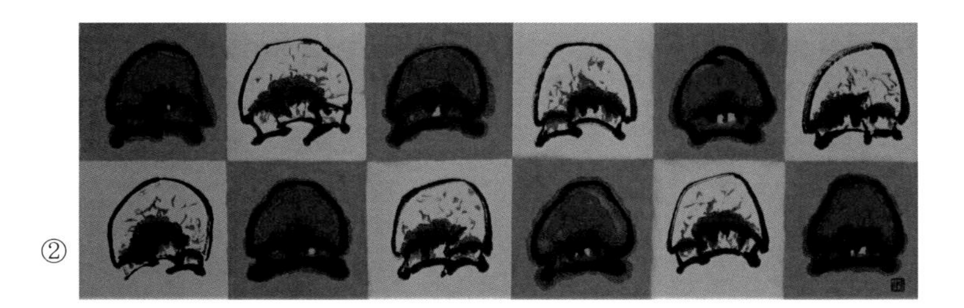

■ 隣(Rhin)-우리(We)

하얀밤이 백야(白夜)일까? 동지섣달 긴긴밤에 마실 아낙네들이 가산(嘉山)댁 등잔불 아래 둘러앉아 오손도손 얘기꽃을 피우다 밤을 지새우고 나면 어느새 새벽빛이 하얗게 들창문 위에 내려앉는다.

또한 150여년 전의 동국세시기(東國歲時記)에 정월 대보름날을 이렇게 서술하고 있다. "이날은 온 집안이 등잔불을 켜 놓고 밤을 새운다. 마치 섣달 그믐날 밤 수세(守歲)하는 예와 같다"고 정월대보름의 의미를 정리하고 있다.

지금은 퇴색(退色)된 풍습이기는 하지만 지방마다 관습(慣習)에 따라 조금씩 다를 수 있으나 아직도 정월 대보름날엔 비슷한 형태로 꼬박 밤을 지새우기도 하고 오곡밥에 묵은 나물과 복쌈, 귀밝이술, 부럼깨기 등 그 명맥(命脈)은 이어지고 있다. 지난날 이른 새벽에 또래 아이들과 집집마다 오곡밥 얻으러 신나게 뛰어다니던 기억이 오롯이 남아있다.

다리밟기와 줄다리기, 쥐불놀이, 달집태우기 등 다양한 놀이는 정월대보름의 대표적인 놀이 문화였다. 한마디로 이날은 모든 액운과 재앙을 다 태워버리고 한해의 풍요(豊饒)를 비는 민초들의 한마당 큰 잔치임은 분명하다. 농경사회(農耕社會)에서 어린 시절을 보낸 동시대 사람들은 아직도 하얗게 밤을 지새운 기억들이 남아 있으리라 본다.

작품 "우리(We)"는 그때 그 시절 아름다웠던 추억들을 탐구(探究)하고 모색(摸索)하여 탄생(誕生)된 그림이다. 다만 백야의 상징성을 표출하기 위해 정월 대보름날 풍경과 옛 추억들을 차용(借用)했을 뿐 하늘에 걸린 달은 보름달이 아닌, 그냥 심월(心月)일 따름이다.

① 隣(Rhin)-Composition, 104×122cm, 한지, 먹, 채색, 2002년 作
② 隣(Rhin)-Composition, 30×49cm, 한지, 먹, 채색, 2000년 作

①

②

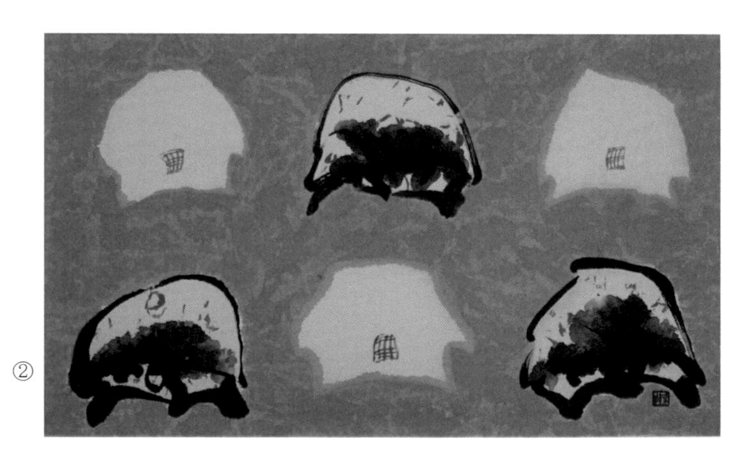

■ 隣(Rhin)-Composition

작품 "Composition"은 "한글 문양(文樣)과 백의민족"과의 연관성을 모색(摸索)하여 구성한 작품이다. 나름대로 흥미로운 컨셉을 잡아본 것이다.

백의민족(白衣民族)의 상징성을 초가(草家)의 이미지에 접목(接木)하고 자유분방하고 역동적이며 호방(豪放)한 민족성임을 표방(標榜)하기 위하여 초가 형태와 한글 문양을 자유롭게 배치하였다.

참고로 민초(民草)들의 삶의 요람이었던 초가와 초가마을이 우리의 자랑스런 한글과의 만남은 그다지 무리함이 없으리라 여겨 인용(引用)한 것임을 밝혀 둔다. 그리고 한글 문양 속에는 한글을 빼곡히 써 넣으므로써 한글의 이미지를 강조하였고, 초가와 한글 문양을 동시에 부각(浮刻)시킴으로써 화면 전체에서 오는 조화(調和)로움을 구현(具現)하였다.

따라서 우리 빛깔을 담아내기 위한 일환으로 한글 문양 속에 있는 글씨는 우리 땅에서 채취한 황토(黃土)로 운필하였고, 작품 바탕에는 수묵의 유현미(幽玄美)를 발현함으로써 한국적(韓國的) 이미지를 묻어나게 하였다. 궁극적으로 한국화의 모더니즘 추구에 그 의미를 둔 것이다.

내 그림은 가장 한국적이면서도 한국적이 아닌 것, 한국적이 아니면서도 가장 한국적이어야 된다는 생각에는 변함이 없다. 그림은 아는 만큼 보인다고 했다. 작품 평가는 어디까지나 감상자(監賞者)의 몫이다.

① 隣(Rhin)- Composition, 79×103cm, 한지, 먹, 토분채색, 1998년 作
② 隣(Rhin) -Composition, 69×51cm, 한지, 먹, 채색, 2000년 作

①

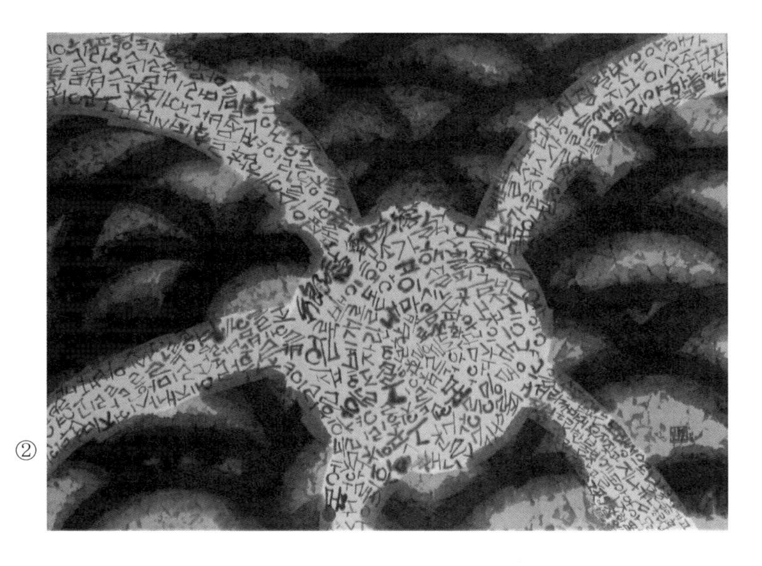

②

■ 隣(Rhin)-환상(幻想)의 동물(動物)

무작위(無作爲)에서 나오는 운필(運筆)은 상상을 넘어 극히 절제된 형태의 미학(美學)을 기대할 수 있다.

머리는 짐승의 두상(頭像)이거나 혹은 조류(鳥類)의 두상인데 반해 몸은 구렁이 같기도 하고 다리가 달린 파충류(爬蟲類)처럼 보이기도 한, 이 기이(奇異)한 형상이 우연히 표출되는 경우가 있다.

미술평론가 박용숙교수의 "한국미술사 이야기"(예경출판사) P73, 도판 35 청룡(靑龍)에 대해서 다음과 같이 기술(記述)하고 있다. "상상의 동물"인 용(龍)은 머리는 소, 몸은 뱀, 다리는 독수리로 음(地) 양(天) 중성(人)의 우주(宇宙) 원리를 표상(表象)하는 신비(神秘)에 쌓인 동물이다"라고 했다.

이처럼 화가(畵家)의 상상력(想像力)에 의해 만들어지는 동물(動物)이라는 것을 알 수 있다. 따라서 무작위로 운필(運筆)한 자유로운 유희(遊戱)에서 얻어지는 물상(物像)이기에 어디까지나 우연(偶然)이 필연(必然)이 되는 순간(瞬間)이다.

작품 "곡선유희(曲線遊戱)"는 모두(冒頭)에 언급한 것처럼 머리는 이상한 짐승 두상 같기도 하고, 조류의 머리 같기도 한데 몸둥아리는 뭇 동물을 닮았거나, 기이하여 이름을 "환상(幻想)의 동물(動物)"이라 붙였다. 작품 이미지도 독특(獨特)하지만 먹(墨)의 선염(渲染)이 잘 발현(發現)된 맑고 투명(透明)한 유현미(幽玄美)가 덧보이는 작품이라 하겠다. 공동체정신(共同體精神)과 곡선미학(曲線美學)이 합일(合一)하여 조화(調和)로움을 운필(運筆)한 작품 "곡선유희(曲線遊戱)" 역시 다름 아닌 것이다.

① 隣(Rhin)-곡선유희(曲線遊戱), 162×107cm, 한지, 먹, 채색, 2004년 作
② 隣(Rhin)-곡선유희(曲線遊戱), 52×61.5cm, 한지, 먹, 채색, 2005년 作

①

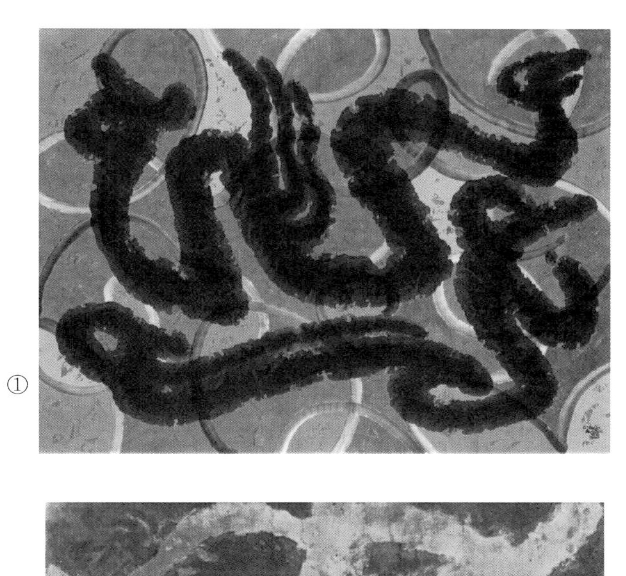

②

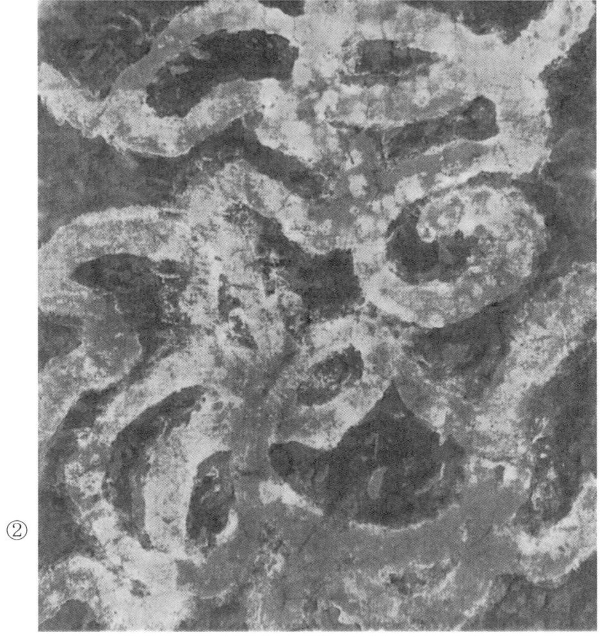

■ 隣(Rhin)-환상(幻想)의 동물(動物)

작품 "환상(幻想)의 동물(動物)"은 곡선유희(曲線遊戲)이다. 우연히 얻어지는 운필(運筆)에서 빚어나오는 환영(幻影)의 영상(影像)이 필연(必然)이 되는 과정에서 "셀렉트" 되어 작화(作畵)된 것이다. 이를테면 무의식(無意識) 속에서 무작위(無作爲)로 운필되는 숱한 무념무상(無念無想)의 세계에서의 유영(遊泳), 희열(喜悅)이 상존(尙存)하는 과정의 결과물이다.

<바로 이거다> "포커스"가 맞춰지면 즉시 화폭(畵幅)에 옮겨 번안(飜案)하거나 재해석되어 탄생(誕生)된다.

이름하여 "환상의 동물"이라 하지만 내마음 속에서 은연중(隱然中)에 도사리고 있는 심상적(心像的) 환영(幻影)일 뿐이다. 영혼의 자유로움이 유희(遊戲)하고 싶을 때마다 즉흥적으로 떠올리는 "이미지"를 운필하여 그 중에서 마음이 가는 것을 골라 "페인팅"한다.

그렇게 표출되는 작품들이 환상의 동물 "시리즈"이다 이 작품 "환상의 동물"은 근작(近作)으로써 밀도(密度)있게 접근하여 묘사하였으며 나름대로 애정(愛情)이 많은 작품 중의 하나이다.

① 隣(Rhin)-환상의 동물, 81×67cm, 한지, 먹, 천연혼합채색, 2021년 作
② 隣(Rhin)-환상의 동물, 51×61.5cm, 한지, 먹, 채색, 2005년 作

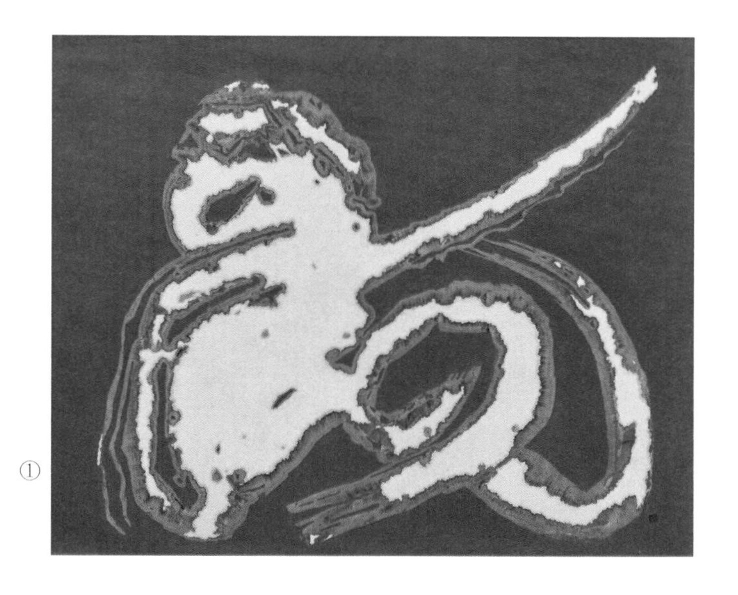

①

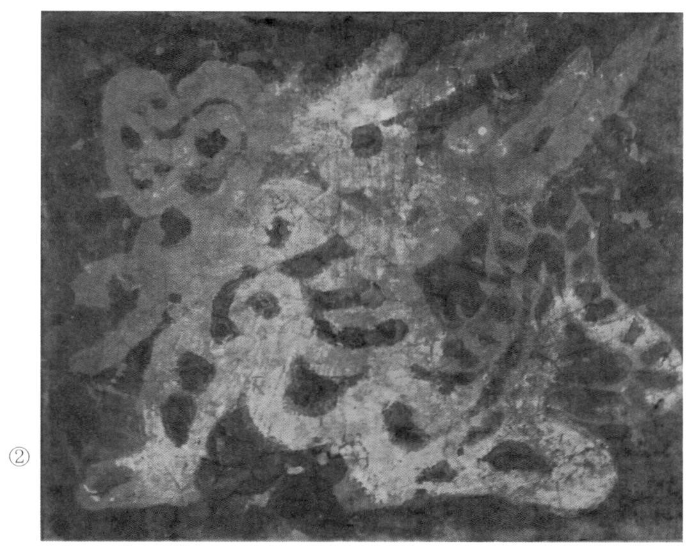

②

■ 隣(Rhin)-고분(古墳)

우연(偶然)이 필연(必然)이 되어 고분(古墳)에서 만날 수 있는 벽화(壁畵)가 태어났다. 그 형상은 환상(幻想)의 동물, 분명한 것은 고분이나 오래된 벽화 속에서 발견할 수 있는 형상(形象)이란 점이고 따라서 먹(墨) 작업의 묘미(妙味)를 체험하는 순간이기도 하다.

마음이 가는 대로 운필(運筆)에서 돌출(突出)되는 자연스러운 결과물이다. 그 형상은 우연히 얻어진다. 참으로 신비(神秘)롭고 미묘(微妙)한 기품(氣品)이 묻어나는 형상이랴 애정이 가는 작품이다. 이런 작품을 다시 얻기가 용이(容易)하지 않기 때문에 귀하게 여겨지는 까닭이다. 조금이라도 삿된 마음이나 욕심(慾心)이 일면 무리수(無理手)가 따르는 법이다.

앞서도 언급(言及)한 바 있지만, 요행수(僥倖數)를 기대할 것처럼 여겨질 수도 있지만, 그렇지 않음을 밝혀둔다. 이면(裏面)엔 자유로운 영혼(靈魂)의 뜨거운 열정(熱情)이 녹아내리고 있음이다. 나의 예술 철학과 사상과 인문학까지 아우르며 담아내는 회화(繪畵)의 정체성(正體性)을 보여주는 작품이라 할 수 있다.

모든 작업의 행위는 자유로워야 하고 그 결과물은 자연스러워야 한다. 이런 작품을 얻기란 용이(容易)하지 않음으로 언제 만나게 될지 기다릴 따름이다.

① 隣(Rhin)-고분(古墳), 52×59cm, 한지, 먹, 채색, 2005년 作
② 隣(Rhin)-환상의 동물, 38.5×45.5cm, 한지, 먹, 채색, 2003년 作
③ 隣(Rhin)-환상의 동물, 69×82cm, 한지, 먹, 채색, 2000년 作

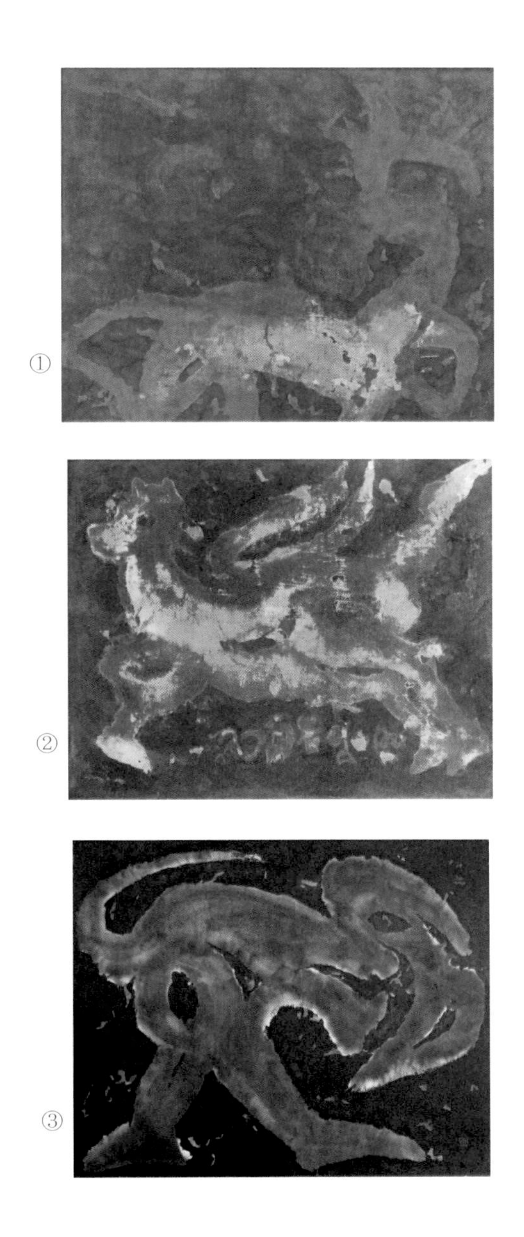

■ 隣(Rhin)-곡선유희(曲線遊戲)/곡선(曲線)Harmony

모든 작업(作業)이 그렇듯이 우연(偶然)이 필연(必然)이 되는 경우가 더러 있지만, 무작위(無作爲) 운필(運筆)에서 내가 선호(選好)하는 이미지를 쉽게 얻게 되는 경우는 그리 많지 않다.

"곡선유희(曲線遊戲)/곡선(曲線)Harmony" 작품들은 그런 점에서 귀히 여길만한 결과물이라 할 수 있다. "서법(書法)에서 기본이 되는 것이 중봉(中鋒)이다. 중봉을 유지하는 것은 획(劃)을 쓰는데에 있어서 가장 쉽고 편한 길로 나아가는 것과 같다. 붓이 꼬여있지 않고 가고자 하는 방향 그대로 붓이 나아갈 수 있는 상태(狀態)이기 때문이다." 라고 한다. 무작위(無作爲) 속에서의 빚어나오는 자연스러운 운필(運筆)이라 할지라도 서법(書法)에서나 묵화(墨畵)의 용필(用筆)에 있어서 중봉(中峰)의 필법(筆法)을 숙지(熟知)해야 좋은 필묵(筆墨)을 얻을 수 있을 것이다.

다시 말해서 필(筆)의 변화를 마음이 가는대로 표현(表現)할 수 있어야만 자유로운 먹(墨)의 유희(遊戲)를 기대(期待)할 수 있기 때문이다. 앞서도 언급했지만 서구(西歐) 예술사조(藝術思潮)의 유입(流入)을 통하여 내용(內容)이나 형식상(形式上)에서 많은 변모(變貌)를 가져왔던 것도 사실이다. 동(東) 서양(西洋)의 모든 조형사고(造形思考)가 어쩌면 나의 조형언어인 곡선미학(曲線美學)에 많은 영향을 끼쳤을 것이라는 생각이다. 가장 한국적(韓國的)이면서도 한국적이 아닌 것, 한국적이 아니면서도 가장 한국적인 작업을 창출(創出)하는데 그 목적(目的)이 있는 까닭이다.

① 隣(Rhin)-Composition, 32×41.5cm, 한지, 먹, 혼합채색, 2000년 作
② 隣(Rhin)-곡선(曲線) Harmony, 34×35cm, 한지, 먹, 채색, 2005년 作
③ 隣(Rhin)-Korean Image, 105×74cm, 한지, 먹, 채색, 2002년 作

①
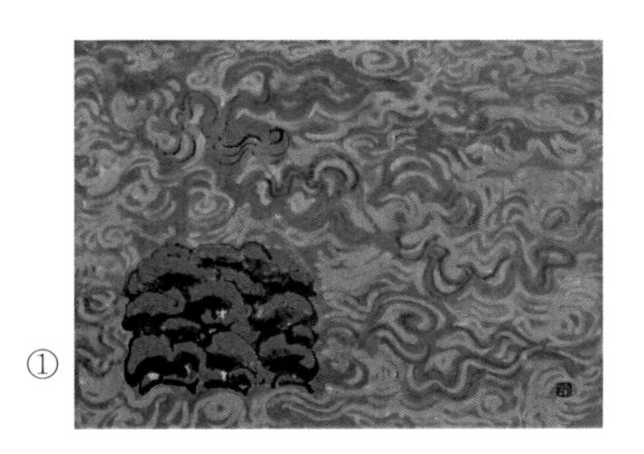

②
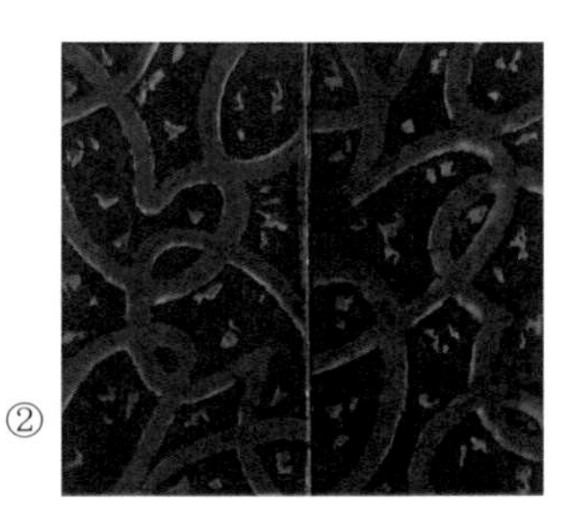

③

■ 隣(Rhin)-곡선유희(曲線遊戱)/곡선(曲線)Harmony

작품 "곡선유희(曲線遊戱)/곡선(曲線)Harmony"는 먹(墨)의 자유로운 용필(用筆)에서 얻어지는 물상(物像)이다. 궁극적(窮極的)으로 내가 찾고자 하는 자연스러움을 그 속에서 찾고자 함이다.

실은 무작위(無作爲) 속에서 자유롭고 호방(豪放)한 운필(運筆)에서 얻어진 형상(形象)이 가장 자연스러운 표현(表現)이라고 생각된다. 나는 그 순간(瞬間)을 기다리며 희열(喜悅)을 느낀다. 이것이다! 하고 느낌이 왔을 때 운필(運筆)을 멈추고 비로소 마음의 색(色)을 입힌다. 그만큼 작업 행위(行爲)는 자유로워야 하고 그 결과물은 자연스러워야 한다. 그렇게 얻어진 물상(物像)들이 자연(自然)이 되기도 하고 전혀 예상치 않은 형상(形象)이 표출(表出)되는 경우가 더러 있다.

그것은 요행수(僥倖數)가 아닌 지극히 자연스러운 결과물(結果物)이라 할 수 있다. 도식적(圖式的)인 운필(運筆)은 아무래도 무리수(無理手)가 따르기 마련이지만 마음이 가는대로 걸림이 없는 용필(用筆)은 의외(意外)로 작화의 절대치(絶對値)를 제공(提供)하는 원천(源泉)이 되기도 한다. 자연스럽게 생성(生成)되는 시각적(視角的) 미학(美學), 절제된 형태의 미감(美感)을 만난다. 자유로운 운필(運筆)에서 빚어나오는 맑고 투명한 깊은 먹(墨)의 유현미(幽玄美)야말로 내가 추구하는 미감(美感)이라 할 수 있다.

작품 "곡선유희(曲線遊戱)/곡선(曲線)Harmony"는 궁극적으로 자연회기(自然回歸)요, 합일(合一)이며 다름아닌 것이다.

① 隣(Rhin)-곡선유희(曲線遊戱), 164×121cm, 한지, 먹, 천연혼합채색, 2023년 作
② 隣(Rhin)-곡선유희(曲線遊戱), 138×70cm, 한지, 먹, 천연혼합채색, 2023년 作
③ 隣(Rhin)-곡선유희(曲線遊戱), 137×70cm, 한지, 먹, 천연혼합채색, 2023년 作

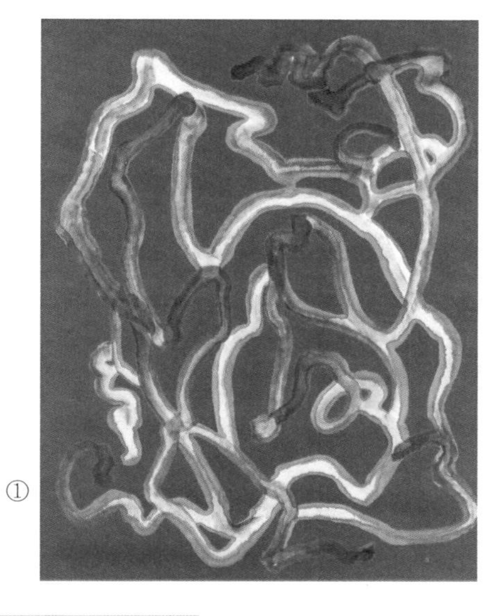

①

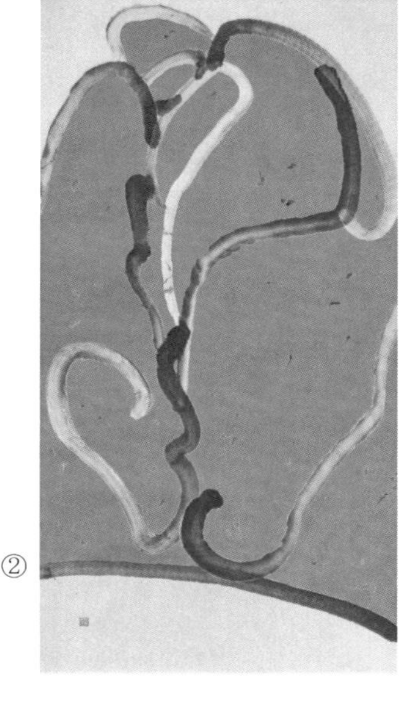

②

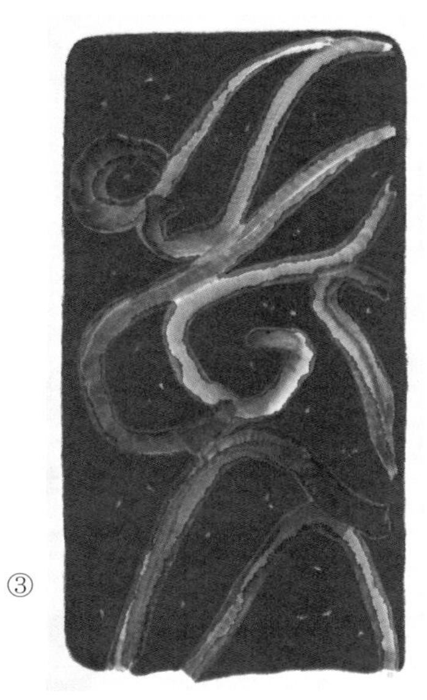

③

■ 隣(Rhin)-Family/가족(家族)

공동체정신(共同體精神)과 곡선미학(曲線美學)으로 풀어 본 가족도(家族圖)이다. 산업사회 이전 농경사회(農耕社會)에서는 대부분 가장(家長)이 절대적인 권력을 가졌던 때가 있었다. 가부장(家父長)의 위력(威力)이 대단했던 지난날 빛바랜 사진을 들추어 당시의 생활상(生活上)을 엿볼 수 있는 그림을 화폭(畵幅)에 담아봤다.

그때는 봉건적인 사회의 통념상 엄격한 가장을 중심으로 가정의 위계질서(位階秩序)는 흔들림이 없이 이어져 왔다. 종족(種族) 개념이 강하여 대(代)를 이을 자식이 절실한 시절이라 만일 본처(本妻)가 아들을 낳지 못하거나, 딸만 낳으면 소위 부자(富者)나 종가(宗家)집에서는 대를 잇기 위해 후처(後妻)를 두는 경우가 더러 있었다. 후처에서 아들을 얻으면 집안의 경사지만 그 아들의 입적(入籍)은 본처의 아들로 등재(登載)한다. 호적법(戶籍法)상 부득이(不得已)한 처사라 하지만 무엇인가 공평하지 않다는 생각은 지울 수가 없었다. 화폭(畵幅)에 담겨 있는 가족들의 면면(面面)에서 당시의 생활상을 읽어 볼 수 있을 것이다. 나름대로의 심경과 고뇌를 엿볼 수 있는 표정(表情)들이지만, 그래도 절대 군주(君主)인 가장(家長)을 중심으로 일사분란하게 위계질서를 허물지 않는 것이 계율(戒律)처럼 되었던 시절이라 격세지감이 아닐 수 없다.

지난날 이런저런 시대의 가족사 를 디테일하게 접근하여 운필한 작품이 ″Family/가족(家族)″이다. 작품 ″Family″는 저마다 멋진 포즈로 찍은 구(舊)시대의 가족사진이고, 작품 “가족(家族) 1”은 엄마가 아기에게 젖 먹이고 있는 곁에서 물끄러미 바라보는 아빠와 엄마 등에 기대어 있는 아이는 동생에게 엄마의 사랑을 빼앗겨 토라진 형의 모습이다. 우연(偶然)이 필연(必然)이 되는 순간이다.

① 隣(Rhin)-Family/가족(家族), 54×44cm, 한지, 먹, 천연혼합채색, 2010년 作
② 隣(Rhin)-곡선(曲線)Harmony-Family 1, 70×137cm, 한지, 먹, 천연혼합채색, 2023년 作
③ 隣(Rhin)-곡선(曲線)Harmony-Family 1, 52×69cm, 한지, 먹, 천연혼합채색, 2020년 作

①

②

③

■ 隣(Rhin)-Composition

작품 "Composition"은 "공동체 정신(共同體精神)과 곡선미학(曲線美學)"의 전형적(典型的)인 작품이라 하겠다. 곡선미학이 산이 되고, 섬이 되고 바다를 이루고 있다. 중앙에 자리하고 있는 초가 마을은 다름아닌 내가 태어나고 자란 고향(故鄕)마을 "읍실"이다.

사방이 산으로 에워싸고 있는 산촌 오지(奧地) 마을이지만 내 손끝에 의해 아름다운 풍광(風光)을 이루고 있다. 산이 겹겹이 펼쳐져 있고 먼 산도 아스라이 시야(視野)에 잡히는 건사한 마을 풍경이다. 한편으로는 섬마을 풍경처럼 볼 수도 있어 넓은 바다 위에 둥실 떠 있는 섬에는 옹기종기 어깨를 맞대고 마을을 이루고 있다.

주변(周邊)의 산등성이들은 다도해(多島海)에서나 볼 수 있는 풍경(風景)처럼 보인다. 문제는 보는 사람에 따라 얼마든지 다르게 볼 수도 있는 것이 그림이다. 어쨌거나 그 안에는 공동체 정신과 곡선미학이 깊숙이 뿌리를 내리고 있는 것이다. 이것은 시대(時代)의 화두(話頭)인 "친환경(親環境)", "더불어 살기"와 맥(脈)을 같이 하고 있다는 사실이다.

작품 "Composition"은 나의 회화(繪畵)의 바탕인 곡선미학(曲線美學)이 자리하고 있음을 보여주는 대표적인 작품 중에 하나이다. 문경문화예술회관 30주년 기념 특별전에 출품하였다.

① 隣(Rhin)-Composition, 92×108cm, 한지, 먹, 채색, 2002년 作
② 문경문화예술회관 개관 30주년 기념 임무상특별전(23.9.1~9.21)

①

②

# 국내풍경

隣(Rhin)-夕陽(석양), 48×50.5cm, 한지, 먹. 채색, 1996년 作

## ■ 隣(Rhin)-독도(獨島) 소견(所見)

새즈믄해 어느 여름날 우리 화우 50여명과 함께 대망의 독도(獨島) 탐방(探訪)을 감행했다. 동행한 화우들의 리더(전미협 부이사장)로서 보람도 있었지만, 무사히 다녀와야 하는 책무(責務)에 대한 부담 또한 컸다.

당시 임무 수행 차 독도를 항해하는 구축함에 선승할 수 있는 축복의 기회가 왔다. 예기치 않은 행운인지라 그저 고맙고 감개무량(感慨無量)할 따름이었다. 해군과 1박2일의 특별한 생활을 몸소 체험하면서 사진으로만 보아왔던 독도를 처음으로 마주하는 순간 탄성이 절로 나왔다. 망망대해(茫茫大海)에 우뚝 솟은 두 봉우리의 위풍당당한 자태(姿態)는 그야말로 경이롭고 심오하기 그지없다. 특히 이른 새벽에 어둠을 뚫고 붉게 물든 아침노을은 참으로 환상적(幻想的)이었다. 이 신비롭고 아름다운 설레임을 놓칠세라 차분히 흥분을 가라앉히고 화구(畵具)를 꺼내 벅찬 감동을 마음 가득 화폭(畵幅)에 담았다. 날이 밝자 독도를 한바퀴 선회하면서 선상에서 바라본 독도 풍광이 시각(視角)에 따라 다양한 모습으로 눈부시게 다가왔다.

매 순간마다 달라 보이는 경관에 매료(魅了)되어 홀린 듯 스케치북에 옮기느라 여념이 없었다. 누가 뭐래도 독도는 한반도의 부속도서로서 대한민국 동쪽 끝인 경상북도 울릉군 울릉읍 독도리에 위치한 엄연한 우리의 섬이다. 뿌듯한 마음으로 독도 탐방을 마치고 돌아와 이듬해 전미협(專美協) 주관으로 독도(獨島) 100호전(展)을 한국경제신문사와 서울신문사 후원(초대)으로 프레스센터 서울갤러리 1, 2관에서 성대하게 치렀다. 지금도 그때를 생각하면 꿈만 같기만 하다. 쉽지 않은 큰 행사인데 순조롭게 진행할 수 있도록 도움을 주신 관계 기관과 모든 분들에게 다시금 고마움을 전하고 싶다.

① 隣(Rhin)-독도(獨島), 48×56cm, 한지, 먹, 채색, 2001년 作
② 隣(Rhin)-독도(獨島)의 아침, 93×123cm, 한지, 먹, 채색, 2000년 作
③ 隣(Rhin)-독도(獨島)의 아침, 49×70cm, 한지, 먹, 채색, 2009년 作
④ 隣(Rhin)-독도(獨島)의 아침, 104×136cm 한지, 먹, 채색, 2000년 作

①

②

③

④

■ 隣(Rhin)-독도(獨島)

동해바다 외로운 섬 독도(獨島)는 울릉도에서 거리가 멀지않아 육안(肉眼)으로도 볼 수 있는 작은섬이다. 세종실록(世宗實錄) 지리지((地理志/1454)에 보면 "조선시대 관찰 문서인 만기요람(萬機要覽/1808)에 독도가 울릉도와 함께 우산국(于山國)의 영토였다" 라고 기록되고 있다. 고대(古代) 일본(日本)정부의 공문서(公文書)에 조차 독도가 조선(朝鮮)의 영토(領土)라는 것을 인정하고 있다. 그럼에도 불구하고 일본은 자기네 땅이라고 우겨되니 왜구(倭寇)의 근성은 버릴 수 없는 모양이다.

독도를 다녀온지도 어언 십수년이 되었지만, 그때의 감동은 지금도 생생히 살아있다. 전미협(專美協) 집행부의 한사람으로 회원 30여명을 모시고 다녀왔는데 출발부터 행운이 따라줬다. 해군의 도움으로 구축함(驅逐艦)에 승선하여 선상(船上) 체험도 하고 독도를 한바퀴 선회(旋回)할 수 있는 꿈같은 기회를 얻을 수 있었기 때문이다. 함선(艦船)에서 특별한 하룻밤을 보내고 새벽에 일어나 설레는 마음으로 맞이하는 찬란한 동해(東海)의 일출과 여명(黎明)은 이루 말할 수 없는 희열(喜悅)과 감탄에 젖어들게 하였다.

어둠을 헤치고 붉게 물든 망망대해(茫茫大海)에서 이글거리며 솟아오르는 찬란한 태양은 내가 지금껏 본 일출(日出)중에 최고였으며 평생 잊지 못할 감동의 순간이었다. 뿐만 아니라 함상(艦上)에서 화우들과 함께 독도의 이모저모를 스케치하며 설레였던 환희(歡喜)의 순간 또한 잊을 수 없는 추억이 되었다. 2박 3일의 독도(獨島)와 울릉도(鬱陵島) 탐방을 마치고 돌아와 작업실에서 스케치를 바탕으로 열작(熱作) 끝에 얻은 독도 연작(連作)이다.

① 隣(Rhin)-독도(獨島), 48.5×55cm, 한지, 먹, 채색, 2001년 作
② 隣(Rhin)-독도(獨島), 39×53cm, 한지, 먹, 채색, 2005년 作
③ 隣(Rhin)-독도소견(獨島所見), 93×123cm, 한지, 먹, 채색, 2000년 作
④ 隣(Rhin)-독도소견(獨島所見), 92.5×145.5cm, 한지, 먹, 채색, 2001년 作
⑤ 隣(Rhin)-독도(獨島), 53×69cm, 한지, 먹, 채색, 2000년 作
⑥⑦ 독도 스케치 기행, 2000년

⑤

⑥

⑦

■ 隣(Rhin)-울릉도(鬱陵島) 전경

독도 탐방(探訪)을 마치고 돌아오는 길에 울릉도(鬱陵島)를 관광했다. 선상(船上)에서 바라본 울릉도는 한마디로 환상적(幻想的)인 섬이었다. 산 중턱에 걸쳐 있는 운무(雲霧)가 신비롭고 몽환적 풍광이 펼쳐지고 있었다. 사진으로 보았을 때 와는 달리 천혜(天惠)의 비경이 점점 클로즈업되면서 감탄이 절로 나왔다. 가까이 다가가자 오른쪽 바다 저편에 깎아지를 듯한 우뚝 솟은 삼선암이 우리 일행을 반갑게 맞아주었다. 함선(艦船)이 항만(港灣)에 접안(接岸)할 때는 이루 말할 수 없는 흥분과 설레임으로 도동항(道洞港) 선착장(船着場)에 다달았다. 도착하자 막간을 이용하여 몇몇 화우들과 주변 풍광에 매료되어 화첩(畵帖)에 담느라 여념이 없었다. 스케치를 끝내고 돌아보니 오징어잡이 배들이 만선(滿船)으로 돌아와 도동항은 온통 오징어가 지천이었다. 몇몇 화우들과 나즈막한 언덕 넓적 바위 위에 걸터앉아 망망대해(茫茫大海)를 배경으로 갓 잡아 온 싱싱한 오징어 회에다 소주 한잔 걸치니 천하를 얻은듯한 기분이다. 아기자기한 도동항의 정겨운 풍광도 매력적이었지만 들쭉날쭉한 절벽(絶壁)과 어우러져 낭만이 깃든 긴 해안도로가 일품이었다. 기이(奇異)한 바위와 괴석(怪石)들이 즐비한 바닷가 호젓한 산책로 또한 신비롭기 그지없다.

"동해(東海) 중앙에 자리한 울릉도는 우리나라에서 아홉번째로 넓은 섬으로 역사적(歷史的)인 의미와 지리적(地理的)인 경이로움을 품고 있으며, 화산(火山) 활동으로 형성된 섬의 독특한 편자 모양은 특이한 매력이 있는 섬이다"

작품 "울릉도(鬱陵島)전경"은 몇 점의 스케치 중에 수묵담채화로 운필(運筆)한 유일한 작품이다.

① 隣(Rhin)-울릉도(鬱陵島) 전경, 22×180cm, 한지, 먹, 채색, 2000년 作
② 울릉도(鬱陵島) 도동항에서

①

②

■ 隣(Rhin)-홍도소견(紅島所見)

2012년 여름 어느 날, 딸과 아내와 함께 홍도(紅島) 관광(觀光)을 다녀왔다. 해질녘이면 섬 전체가 붉게 보인다고 하여 홍도(紅島)라는 이름을 붙였다고 한다.

홍갈색을 띤 규암질(硅巖質) 바위섬으로 기기묘묘(奇奇妙妙)한 형상들의 기암괴석(奇巖怪石)들이 깍아지른듯한 절벽(絶壁)들로 이루어져 있다.

홍도(紅島) 선착장(船着場)에서 대기(待機)한 유람선(遊覽船)에 승선(乘船)하여 관광(觀光)을 시작했다. 사진(寫眞)에서 보아왔던 것과는 사뭇 다른 감동(感動)과 감탄(感歎)의 연속(連續)이었다.

촛대바위, 독립문(獨立門)바위, 병풍(屛風)바위, 기둥바위, 시루떡바위, 홍도 제1경이라는 도승(道僧)바위(승려가 합장하는 형상) 등 무수히 많은 기암들이 하나같이 절묘(絕妙)했다.

또한 홍도의 절경(絶景)으로 빼 놓을 수 없는 것이 '홍도(紅島)의 낙조(落照)'이다. 선착장(船着場)으로 귀선(歸船)하는 선상(船上)에서 바라본 낙조의 풍광(風光)은 한마디로 환상적(幻想的)이었다. 책을 쌓아놓은 듯 한 우람한 바위산 아래 지나는 유람선 위에서 싱싱한 회(膾) 한점에 소주(燒酒) 한잔 걸치니 그 상쾌함이야 어찌 필설(筆舌)로 표현하리오. 이 아름다운 홍도의 절경(絶景)을 많은 스케치와 현장감을 가슴 가득 담고 돌아와 나의 조형(造形) 언어인 곡선화법(曲線畵法)으로 접목(接木)하여 탄생된 작품이 "홍도소견(紅島所見)"이다.

□ 隣(Rhin)-홍도소견(紅島所見), 48×59cm, 한지, 먹, 천연혼합채색, 2012년 作

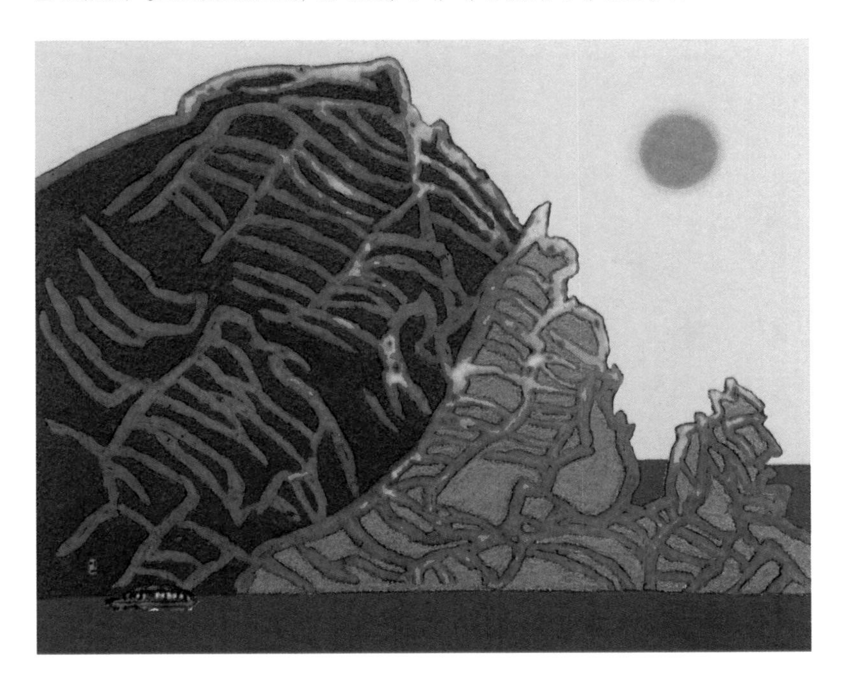

■ 隣(Rhin)-홍도소견(紅島所見/촛대바위) 2

아름답고 환상적인 섬으로 널리 알려져 있는 홍도(紅島)는 전남 신안군 흑산면에 위치한 약 40여개의 섬들 중에 가장 큰 섬으로 알려져 있다.

해질녘이면 섬 전체가 붉게 물든다고 하여 홍도라는 이름이 붙혀졌다고 한다. 홍도는 본섬을 비롯해서 20여개의 부속섬으로 이루어져 있다 거친 파도와 거샌 바람이 만들어 낸 황홀(恍惚)하고 경이(驚異)로운 환상(幻想)의 섬이 홍도(紅島)이다. 우거진 숲과 군청색(群靑色)을 드리운 맑고 푸른 바다위에 기기묘묘한 섬들이 어우러져 저마다 자태를 뽐내고 있다.

대자연의 경이로움에 그저 탄성(歎聲)이 절로 나온다. 촛대바위, 독립문(獨立門)바위, 병풍(屛風)바위, 기둥바위, 시루떡바위, 홍도 제1경이라는 도승(道僧/승려가 합장하는 형상)바위 등 무수히 많은 기암(奇岩)들이 하나같이 절묘(絕妙)했다. 이 황홀한 비경(秘景)은 타의 추종을 불허할 만큼 신비롭기 그지없다 그 중에도 촛대바위가 으뜸이고 백미(白眉)였다. 직각으로 빚어진 깎아지를 듯한 기묘(奇妙)한 자태는 자연이 빚어낸 빼어난 걸작(傑作)이었다.

"홍도소견(紅島所見/촛대바위)2" 는 당시 홍도의 감동을 고스란히 안고 돌아와 가장 인상에 남았던 촛대바위를 모티브로 하여 홍도의 진면목을 담아 번안(飜案)하고 재해석(再解析)하여 탄생 된 작품이다. 아내와 딸과의 홍도 여정은 아직도 설레임으로 남아있다.

□ 隣(Rhin)-홍도소견(紅島所見/촛대바위) 2, 70×36cm, 한지, 먹, 천연혼합채색, 2010년 作

■ 隣(Rhin)-탐라소견(耽羅所見)

십 수년전에 처음으로 탐라기행(耽羅紀行)을 다녀왔을 적을 떠올려본다. 설레는 마음으로 첫발을 내딛는 순간 제주(濟州)의 이국적인 풍광에 매료되어 감탄이 절로 나왔던 기억이 난다.

모든 풍물이 새롭고 신기했지만, 그중에도 제주 민속촌(民俗村) 한옥(韓屋)마을이 가장 깊은 인상이 남았던 곳이었다. 제주민의 오랜 삶의 흔적과 역사가 고스란히 살아 숨쉬고 있는 곳인 까닭이다. 아마도 내 작업의 중심에는 초가와 초가문화가 자리하고 있기 때문이 아닌가 싶기도 하다. 그 뒤에도 제주에 내려가면 가끔 둘러 보는 곳인데 요즈음엔 지나친 보수로 인하여 옛스러움을 잃어가고 있어 아쉬움이 남는다. 관광지로 다듬기 위해서겠지만 무너지면 무너진대로 퇴색되면 퇴색된 채로 그대로 볼 수 있도록 하면 어떨까 하는 생각이 든다.

제주 특유의 낮은 초가들과 돌담은 제주 한옥만이 갖고 있는 독특함이 있어 여느 민속마을과는 사뭇 다른 경이로움이 있다. 제주 원주민(原住民)들의 삶의 흔적과 숨결이 고스란히 남아있는 성읍민속마을은 제주의 자부심이요 관광객에게는 제주민의 역사와 풍습(風習)들을 한눈에 조망할 수 있는 즐거움을 주는 필수 코스다.

작품 "탐라기행(耽羅紀行)" 은 당시 스케치해온 그림 중에서 애정이 가는 작품이다. 돌담에 기대어 자란 이름 모를 풀들이 제주 특유의 한옥 마을과 어우르져 그 조화로움을 화폭(畵幅)에 담은 것이다.

① 隣(Rhin)-탐라기행(耽羅紀行), 68.5×83cm, 한지, 먹, 채색, 1998년 作
② 隣(Rhin)-탐라기행(耽羅紀行), 47×59.5cm, 한지, 먹, 채색, 1998년 作
③ 隣(Rhin)-탐라기행(耽羅紀行), 69×83.5cm, 한지, 먹, 채색, 1998년 作
④ 隣(Rhin)-탐라기행(耽羅紀行), 120.5×89cm, 한지, 먹, 채색, 1998년 作
⑤ 隣(Rhin)-제주민속촌(濟州民俗村), 51×135cm, 한지, 먹, 채색, 1998년 作
⑥ 隣(Rhin)-제주민속촌만추(濟州民俗村晩秋), 95×187cm, 한지, 먹, 채색, 1998년 作
⑦ 隣(Rhin)-제주민속촌일우(濟州民俗村一隅), 46.5×59cm, 한지, 먹, 채색, 1998년 作

①

②

③

④

⑤

⑥

⑦

■ 隣(Rhin)-탐라기행/제주 안덕계곡(安德溪谷)

제주 안덕계곡은 심오(深奧)한 분위기에 쌓여 다른 세상에 와 있는 듯한 느낌이 든다. 마치 동굴(洞窟) 같이 느껴지는 골짜기가 깊게 침식(浸蝕)된 계곡으로 범상치 않은 매력을 지니고 있다. 입구 왼쪽에서부터 기둥처럼 형성된 괴암(怪巖)들이 둘러쳐 있어 제주 특유의 주상절리 계곡미(溪谷美)를 보여주고 있다. 기암절벽과 평평한 암반(巖盤) 바닥에서 유유히 흐르는 맑은 물이 멋스러운 운치를 자아내기도 한다. 바위 틈새에 비집고 나온 이름 모를 수목(樹木)들이 신비로움을 더하고 정상엔 숲이 우거져 여름이면 많은 사람들이 찾아와 더위를 식히는 쉼터로 적격이다.

제주의 명소 "안덕계곡(安德溪谷) 상록수림(常綠樹林)"이란 명칭에 걸맞게 숲이 잘 발달되어 힐링 조건을 두루 갖춘 적합한 휴양림(休養林)이라 할 수 있다. "안덕계곡은 서귀포 안덕면의 감산리 마을을 지나 바다로 유입되는 창고천 하류에 형성된 계곡(溪谷)이다. 표고 914m의 한대오름 주위를 발원지로 한다. 안덕계곡의 안덕(安德)은 치안치덕(治安治德)의 줄임말로, 태초에 안개가 끼고 하늘과 땅이 진동하며 태산이 솟아날 때 암벽 사이에 물이 흘러 치안치덕한 곳이라 하여 유래된 말이다. 제주10경 중 하나로 제주 올레 9코스와 추사 유배길 3코스에 포함된 관광지(觀光地)이다."

제주도는 그림 그리는 이에겐 다시없이 좋은 곳이다. 가는곳 마다 독특한 명소(名所)들이 많아 관광도 즐기고 그림도 그릴 수 있어 일석이조(一石二鳥)가 아닐 수 없다.

작품 "탐라기행/제주 안덕계곡(安德溪谷)"은 오래전에 제주도 스케치 기행(紀行)을 갔을 때, 3박 4일 동안 화우들과 어울려 곳곳에 풍광들을 화첩(畵帖)에 가득 담아와서 운필한 작업중에 탄생된 그림이다.

① 隣(Rhin)-제주 안덕계곡(安德溪谷), 43×135cm, 한지, 먹, 채색, 1998년 作
② 隣(Rhin)-제주 안덕계곡(安德溪谷), 51×135cm, 한지, 먹, 채색, 1998년 作
③ 隣(Rhin)-탐라기행/안덕계곡(安德溪谷), 47×69cm, 한지, 먹, 채색, 1998년 作
④ 隣(Rhin)-탐라기행/안덕계곡(安德溪谷), 34×44.5cm, 한지, 먹, 채색, 1998년 作
⑤ 隣(Rhin)-탐라기행/안덕계곡(安德溪谷), 34×33.5cm, 한지, 먹, 채색, 1998년 作
⑥ 隣(Rhin)-탐라기행/안덕계곡(安德溪谷), 34×44cm, 한지, 먹, 채색, 1998년 作

①

②

③

④

⑤

⑥

■ 隣(Rhin)-산정호수(山井湖水)

산정호수(山井湖水)는 내가 사는 고장에서 멀지 않은 곳에 위치하고 있어 가끔 찾아가서 스케치를 즐겼던 곳이다. 오래전에 중학교 동창(同窓) 모임이 이곳에서 있었는데(1박2일) 펜션에서 하룻밤 묵었던 적이 있었다. 주로 당일(當日)치기로 관광을 즐기며 다녀오기 일쑤인데 이번엔 하룻밤 자고 오는 관계로 화구(畵具)를 단단히 챙겨서 떠났다. 첫날은 가볍게 드로잉 하며 친구들과 신나게 관광을 즐겼고 다음날 아침에 호수(湖水) 변(邊)을 거닐며 추색(秋色)에 물든 아름다운 주변 풍광에 포커스를 마췄다. 언젠나 그렇듯이 이곳에 오면 건사한 뷰(View)에 푹 빠지게 된다.

산정호수(山井湖水)라는 이름 걸맞게 산자수려(山紫秀麗)하기 그지없는 호수를 마주하니 감탄이 절로 나온다. 오늘 등재(登載)하는 첫째, 둘째 작품은 현장에서 먹을 풀고 바로 화첩(畵帖)에 운필(運筆)한 작품이고, 나머지 그림은 작업실에 돌아와 스케치를 바탕으로 작화(作畵)한 그림이다.

어느날 늦가을 가족과 함께 나들이 갔을 때 호수 맞은편 근사한 풍치(風致)에 필이 꽂혀 스케치 몇 점을 건졌다. 만추(晩秋)의 가을산을 마주하니 당시(唐詩) 추흥(秋興/杜甫 詩)이 떠올랐다.

玉露凋霜 風樹林 巫山巫峽 氣蕭森 江澗波浪 兼天湧 塞上風雲 接地陰(옥로조상 풍수림 무산무협 기소삼 강간파랑 겸천용 새상풍운 접지음) 찬이슬 내려 단풍도 물드는데 쓸쓸한 무산의 골짜기에 가면 강물이 일어 하늘에 치솟고 변방을 어둡게 뒤덮는 구름)

두보(杜甫)의 시 "추흥(秋興)"은 가끔 즐겨 읊는 당시(唐詩) 중의 하나이다.

① 隣(Rhin)-산정호수(山井湖水), 34x49cm, 한지, 먹, 채색, 2000년 作
② 隣(Rhin)-산정호수(山井湖水), 34×49cm, 한지, 먹, 채색, 2000년 作
③ 隣(Rhin)-산정호수 추경(山井湖水秋景), 45x135cm, 한지, 먹, 채색, 2002년 作
④ 隣(Rhin)-산정호수 추경(山井湖水秋景), 45x135cm, 한지, 먹, 채색, 2002년 作
⑤ 隣(Rhin)-산정호수(山井湖水), 54x69cm, 한지, 먹, 채색, 1998년 作

①

②

③

④

⑤

■ 隣(Rhin)-낚시터 풍경

십 수년 전에 사생단체에 동참(同參)하여 전국 산하를 누비며 스케치 기행을 열심히 따라나설 때가 있었다. 뜻밖에 멋진 그림 소재를 만나는 날은 한없이 가슴이 설랜다. 아마도 경기도(京畿道) 서남부 어느 지방 근사한 낚시터를 찾아 하루의 일정을 소화한 적이 있었는데 낚시터를 소재로 작업해 본 적은 그때가 처음이자 마지막이였던 것 같다.

유감스럽게도 평생 낚시와는 인연(因緣)이 없었던 터라 그 뒤로는 낚시터를 한번도 찾아간 기억이 없다. 하지만 화우들과 어울려 화구(畵具)를 울러메고 전국 방방곡곡 사생지(寫生地)를 찾아다니며 두루 섭렵(涉獵)한 덕분에 이러한 낚시터 작품을 남길 수 있었던 것은 다행한 일이다.

당시 기억을 더듬어 보면 낚시터 경관(景觀)이 매우 수려(秀麗)했다. 늦가을 단풍이 아름답게 수놓고 있는 우람한 산이 맞은편에 자리하고 있고, 가을걷이가 끝난 사래긴 밭머리 우거진 갈대숲이 늦가을 정취를 더해준다. 천고마비(天高馬肥)의 계절답게 파아란 하늘은 한없이 맑아 호수에 투영되어 산 그림자가 물위에 잔잔히 잠겨있고, 낚시터 주변 조각배와 작은 방갈로의 조형물(造形物)들이 어우러져 한폭의 풍경화를 연출하고 있었다. 물 위에 드리운 조형물의 그림자가 이처럼 멋지고 아름답고, 생생하게 다가올 줄이야! 감탄이 절로 나왔다.

시간가는 줄도 모르고 온종일 스케치 삼매(三昧)에 빠졌던 추억이 새삼 떠오른다. 하루종일을 어떻게 보냈는지 모룰 정도로 즐거움이 충만했던 하루였다. 맑은 물 맑은 공기와 청아(淸雅)한 풍치에서 오는 상쾌한 감흥(感興)을 가슴 가득 담아 운필(運筆)한 작품이 "낚시터 풍경"이다.

① 隣(Rhin)-낚시터 풍경, 52.5×60.5cm, 한지, 먹, 채색, 1994년 作
② 隣(Rhin)-낚시터 풍경, 56.5×73.5cm, 한지, 먹, 채색, 1994년 作
③ 隣(Rhin)-낚시터 풍경, 30×37cm, 한지, 먹, 채색, 1998년 作
④ 隣(Rhin)-낚시터 풍경, 42×48cm, 한지, 먹, 채색, 1998년 作
⑤ 隣(Rhin)-낚시터 풍경, 42×48cm, 한지, 먹, 채색, 1996년 作
⑥ 隣(Rhin)-낚시터 풍경, 40.5×52cm, 한지, 먹, 채색, 1998년 作
⑦ 隣(Rhin)-낚시터 풍경, 42×48cm, 한지, 먹, 채색, 1998년 作
⑧ 隣(Rhin)-낚시터 풍경, 67×66.5cm, 한지, 먹, 채색, 1994년 作
⑨ 隣(Rhin)-낚시터 풍경, 33.5×38cm, 한지, 먹, 채색, 1999년 作

①

②

③

④

⑤

⑥

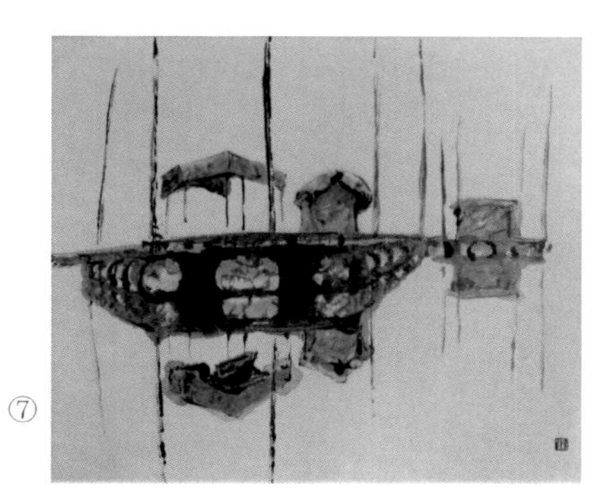

⑦

⑧

⑨

■ 隣(Rhin)-염전지대(鹽田地帶)

"임무상 그림산책 1권"에 소개한 바 있지만 아직 소회(所懷)가 남아있어 전반적인 자료들을 종합해서 다시 한번 다뤄보기로 했다.

염전지대(鹽田地帶)를 찾은 것은 아마도 사생단체 화우들과 함께 스케치 기행(紀行) 때인 것 같다. 서해(西海) 소래포구 근처 염전이 있는 곳이 아닌가 싶기는 한데 워낙 오래된 일이라 기억이 흐리다. 다만 초입(初入)에 들어서면 작은 갈대숲과 어우러진 운치(韻致)있는 통나무 다리를 건너서 벌판을 가로질러 얼마쯤 걷다보면 염전지대가 나타난다. 물감을 드린듯 한 푸른 천으로 둘러쳐진 낡은 소금창고(倉庫)들이 띄엄띄엄 고즈넉하게 자리하고 있어 이곳에서만 엿볼 수 있는 소박한 옛스러움에 흥분조차 감출 수가 없었다.

처음 만나는 이색적인 풍경이 내 감성(感性)을 자극하고 있었다. 구도가 좋은 장소를 찾아다니며 화첩(畵帖)에 담기 시작했다. 바닷물이 들어와 고랑 형태를 이루어 갯벌 대신 갯골이라 이름하였고, 바닷물이 빠진뒤 고랑이 진 언덕배기에는 이름 모를 아주 작은 '가칭 염생초(鹽生草) 꽃' 군락지가 붉은빛을 띄고 여기저기 앙징스럽게 수놓고 있었다. 아주 색다른 뷰에 매료(魅了)되어 온종일 광활한 염전지대 이곳저곳을 옮겨 다니며 많은 스케치와 드로잉을 했다.

작품 "염전지대(鹽田地帶)"는 실경(實景) 또는 현장 스케치를 바탕으로 재구성하여 탄생된 작품들이다. 지금은 산전벽해(山田碧海)가 되어 염전지대가 생태(生態)공원으로 탈바꿈되었다고 한다. 소박한 염전지대의 정취(情趣)는 다시 만날 수 없어 아쉬움이 있지마는 시대의 흐름을 어찌하랴! 어쨌거나 한때 사생단체에 일원으로 전국산하를 섭렵(涉獵)하다시피 산과 들, 오지(奧地)마을까지 두루 찾아다니며 스케치에 동참했던 지난날들이 그립다.

① 隣(Rhin)-염전지대(鹽田地帶), 38.5×53.5cm, 한지, 먹, 채색, 1995년 作
② 隣(Rhin)-염전지대(鹽田地帶), 61×72cm, 한지, 먹, 채색, 1992년 作
③ 隣(Rhin)-해질녘(염전지대), 55×61cm, 한지, 먹, 채색, 1992년 作
④ 隣(Rhin)-염전지대(鹽田地帶), 59×75.5cm, 한지, 먹, 채색, 1998년 作
⑤ 隣(Rhin)-염전지대(鹽田地帶), 38.5×53cm, 한지, 먹, 채색, 1995년 作
⑥ 隣(Rhin)-염전지대(鹽田地帶), 56×66cm, 한지, 먹, 채색, 1996년 作
⑦ 隣(Rhin)-염전지대(鹽田地帶), 50×68cm, 한지, 먹, 채색, 1992년 作
⑧ 隣(Rhin)-염전지대(鹽田地帶)의 황혼(黃昏), 70x92cm, 한지, 먹, 채색, 1992년 作
⑨ 隣(Rhin)-해질녘(염전지대), 35×40.5cm, 한지, 먹, 채색, 1992년 作

①

②

③

④

⑤

⑥

⑦

⑧

⑨

# Untitled

隣(Rhin)-여적(餘跡), 64.5×65.5cm, 한지, 먹, 채색, 1998년 作

■ 隣(Rhin)-새벽 단상(斷想)

작품 "새벽 단상(斷想)"은 이른 아침에 잠에서 깨어 제일 먼저 시야(視野)에 들어오는 창밖의 상큼한 새벽의 운치(韻致)를 회폭(畵幅)에 담은 그림이다.

그 정경(情景)은 내가 어릴 때 시골 고향(故鄕)집 사랑방에서 새벽하늘과 마주하던 그때의 감흥(感興)을 떠올리기에 충분하다. 어둠이 채 가시기 전에 맞은편 낡은 아파트 위로 어렴풋이 드러나는 검푸른 하늘가에 가냘프게 걸려있는 조각달은 새벽의 운치를 한층 더해주고 있다.

산뜻한 청량감(淸凉感)과 형언(形言)하기 어려울 만큼 소쇄(瀟灑)한 정취(情趣)는 초겨울의 새벽 풍광(風光)이 으뜸이다. 창밖에 비친 변화무쌍(變化無雙)한 새벽 운치에 매료(魅了)되어 가끔 "새벽 단상(斷想)"을 즐겨 Drawing 하는데 몇 점 곁들어 올린다.

① 隣(Rhin)-새벽 단상(斷想), 60×76cm, 한지, 먹, 천연혼합채색, 2021년 作
② 새벽 단상(斷想) Drawing 1
③ 새벽 단상(斷想) Drawing 2
④ 새벽 단상(斷想) Drawing 3

①

②

③

④

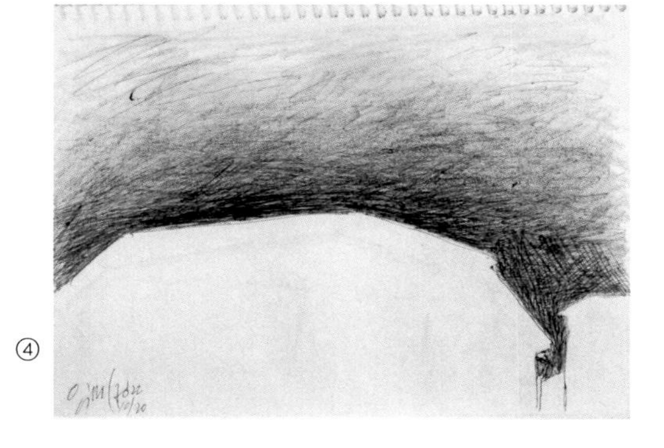

■ 隣(Rhin)-연꽃과 파랑새

파랑새 한 쌍이 연밥 따러 나들이를 나왔다. 연꽃이 활짝 웃으며 반겨주고 있다. 전형적인 민화풍(民畵風) 그림이다.

실은 유년 시절에 즐겨 그렸던 그림들이지만, 한동안 화조(花鳥)그림은 그리지 않다가 얼마전에 연꽃을 소재(素材)로 나름대로 번안(飜案)하고, 재해석(再解析)하여 운필한 작품이다.

연꽃의 의미는 "이제염오(離諸染汚) 즉 연꽃은 진흙탕에서 자라더라도 더러움에 물들지 않는다."는 뜻으로, 주변의 부정적인 것에 휩쓸리지 않고 아름다움을 유지하는 사람이 되어야 한다는 의미를 담고 있다. 이 외에도 "불여악구(不與惡俱), 성향충만(戒香充萬), 본체청정(本體淸淨)" 등 좋은 의미意味의 글귀(句)들이 있다.

참고로 민화(民畵)라는 용어를 처음 사용한 사람은 일본인 야나기(柳宗悅)이다. 그는 "민중 속에서 태어나고 민중을 위하여 그려지고, 민중에 의해서 구입되는 그림을 민화(民畵)"라고 정의하였다. 넓은 의미에서는 "직업 화가인 도화서(圖畫署)의 화원(畫員)이나 화가로서의 재질과 소양을 갖춘 화공(畫工)이 그린 그림도 포함시켜 말하고 있다"고 했다.

우리나라에서도 민화에 대한 연구와 논의가 활발해지면서 여러 학자들이 민화의 의미를 규명하고자 하였고, 오늘날 민화의 명맥(命脈)을 이어가기 위한 동아리들이 늘어나고 있어 고무적(鼓舞的)인 일이다.

□ 隣(Rhin)-연꽃과 파랑새, 104×73cm, 한지, 먹, 천연혼합채색, 2007년 作

■ 隣(Rhin)-길쌈

길쌈이란 "삼실 따위로 베, 모시 등의 직물(織物)을 짜내기까지 손으로 하는 모든 과정(過程)의 일을 통틀어 이르는 말이다"

이 작품은 그 과정의 일부분으로 마당에 잿불(겨를 태워 만든 재무덤)을 해 놓고 적당한 화력(火力)을 유지시켜 삼(大麻)에서 체취한 삼실이나 목화(木花)에서 얻어지는 무명실 등을 끓여놓은 찹쌀풀(좁쌀풀을 만들어서 쓰는 것으로 기억됨)을 풀솔로 실올에 정성스럽게 발라서 피워놓은 잿불 위에서 말리는 작업이다.

피워놓은 잿불을 기준으로 실타래를 길게 당겨 무거운 맷돌을 얹거나 무거운 돌로 고정(固定)시켜놓고 작업을 한다. 베를 짜기 위한 전 단계(斷階)로 잿불에서 말린 실타래는 베틀 상단에 있는 소위 용두머리라고 하는 나무토막에 감는다 이 작업이 완성되면 베틀 상단(上端)에 올려놓고 베를 짤 수 있는 준비는 완료(完了)하게 되는 것이다. 내 어릴 때 집집마다 년중행사(年中行事)로 할머니와 어머니께서 길쌈하시던 정겨운 풍경을 잊을 수가 없다. 그렇게 해서 얻어진 직물들로 식구들 의복이며 이불 호청이며 심지어 어린 동생들 천기저귀까지 만들었으니 농경사회(農耕社會)에 있어서 길쌈이란 가사(家事)중에 절대적으로 큰 비중을 차지하는 가사(家事)였다.

요즈음 세대들에게는 생소한 풍속도(風俗圖)이기는 하지만 지난 6,7십년대 농촌에서는 흔히 볼 수 있는 풍경이다. 나의 유년시절의 추억을 떠올리며 작품 "길쌈"을 작화(作畵)한 것이다.

□ 隣(Rhin) - 길쌈, 99×68.5cm, 한지, 먹, 채색, 1998년 作

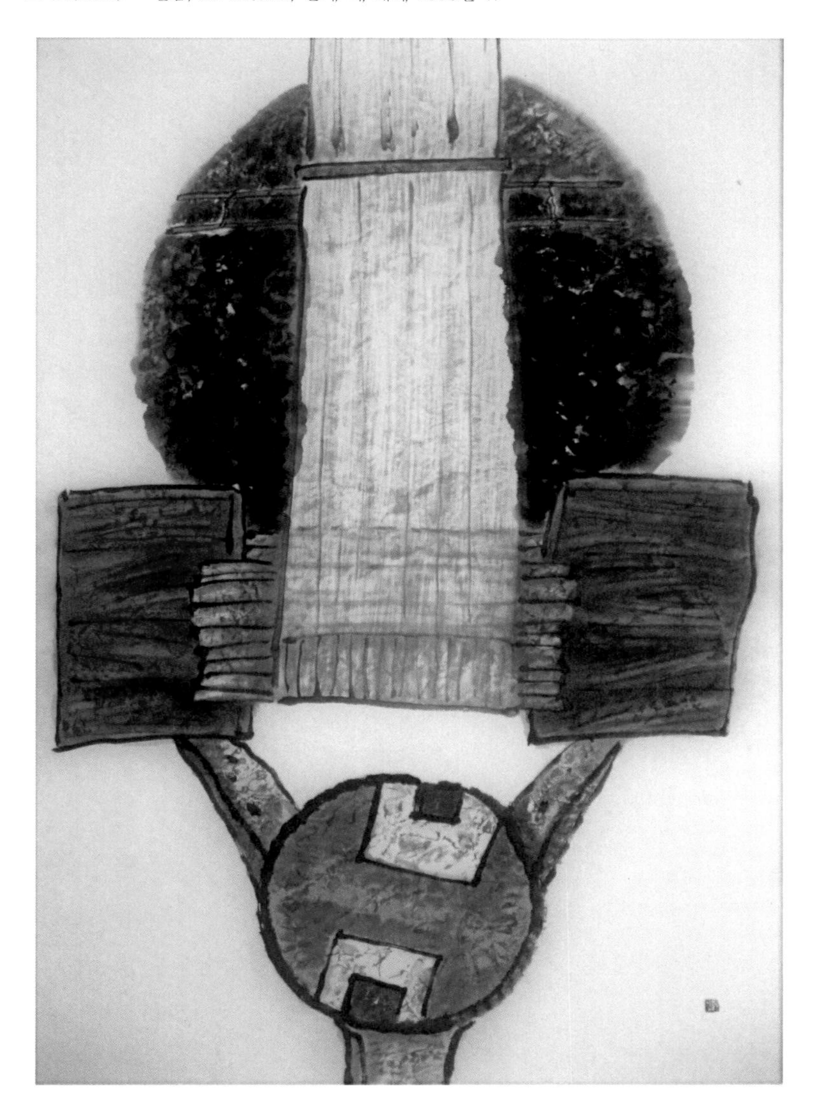

■ 隣(Rhin)-신십장생도(新十長生圖)

십장생도를 바탕으로 재해석하여 탄생된 작품이 신십장생도(新十長生圖)이다.

앞에서도 서술(敍述)한 바 있지만, 십장생도에 대해서는 너무나 많이 알려진 그림이고 보면 새삼 언급할 필요는 없을 것이고 다만 신(新)십장생도가 그려지게 된 동기는 다음과 같다.

오래전에 케나다 제스프, 벤프 록키(Locky) 국립공원 스케치 기행(記行)을 다녀온 적이 있다. 우거진 숲과 꽤나 넓은 풀밭 도로변을 지날 무렵, 놀랍게도 순록(馴鹿) 두 마리가 눈앞에 서성이고 있지 않는가! 사진으로만 보아왔던 광경을 현실로 마주하니 참으로 감동적인 순간이었다. 차를 멈추고 잠시 이 멋진 경관(景觀)을 놓칠세라 "찰칵" 카메라에 담으면서 문득 십장생(十長生)에 나오는 사슴들과 오버랩되는 것이 아닌가!

분명히 십장생도에 나오는 사슴은 이 순록이 당연히 아니고 꽃사슴으로 미루어 짐작하게 되지만, 넘넘한 순록을 끌어드려 새로운 십장생도를 그려야겠다는 감흥이 일었다.

귀국 후 얼마가 지난 후에야 작업실에서 이 멋진 순록을 인용하여 새로운 십장생도를 운필(運筆)하게 되었다. 이처럼 민화풍 그림을 작화(作畵)한 것은 이전 송학도(松鶴圖) 2점과 신십장생도(新十長生圖)가 오랫만에 작업이다. 다소 생소한 느낌이기는 하지만 그런대로 또다른 맛이나는 새로움이 있어 좋았다. 가끔 이 작품을 볼 때면 흥미로웠던 록키(Rocky)기행의 감동과 지난날의 추억을 회상(回想)하게 된다.

□ 隣(Rhin) - 신십장생도(新十長生圖), 94×72cm, 한지, 먹, 천연혼합채색, 2007년 作

■ 隣(Rhin)-송학도(松鶴圖)

작품 "송학도(松鶴圖)"는 전통 민화(民畵)를 모티프로 재해석한 작품이다. 십장생도에서 학(鶴)과 소나무(松), 불노초(不老草)를 인용하였고, 다만 작품 하단에 초가(草家) 이미지를 운필한 것은 심월(心月)처럼 내가 함께 있음을 의미함이다.

궁궐이나 박물관을 비롯해서 우리 주변에서 흔히 볼 수 있는 그림이 십장생도(十長生圖)인데, 송학도 역시 이 범주 안에 속한다고 볼 수 있다.

이러한 그림을 민화풍(民畵風) 그림이라 할 수 있다. 민화(民畵)란 조선시대, 서민(庶民)들의 생활 모습이나, 민간 전설(傳說) 등을 소재로 하여 그린 그림을 이르는 말이다. 전문화가들이 아닌 민중에서 이름 모를 화가들로부터 탄생(誕生)되었다고 한다. 그러나 오늘날 민화라는 장르가 활발하게 확장되고 있어 매우 바람직한 일이라 할 수 있다. 일반적으로 화가들이 이를 모티프로 하여 즐겨 그리기도 하고, 또한 재해석한 걸작들을 더러 만날 수 있어 매우 고무적(鼓舞的)인 일이다.

특히 송학도(松鶴圖)는 길상(吉祥), 장수(長壽), 행복(幸福)의 의미를 담고 있어 민간인 사이에 많은 사랑을 받아 가정( 家庭)은 물론 사무실, 심지어 식당에서도 가끔 눈에 띌 정도로 우리 주변에서 흔히 볼 수 익숙한 그림이다. 이처럼 전통 민화(民畵)를 바탕으로 그린 민화풍 그림들이 우리의 삶 속에 깊이 뿌리내리고 있는 것은 민속에 얽힌 관습적인 그림이기 때문이 아닌가 싶다.

① 隣(Rhin)-송학(松鶴), 57.5×49cm, 한지, 먹, 천연혼합채색, 2007년 作
② 隣(Rhin)-송학(松鶴), 55×48cm, 한지, 먹, 천연혼합채색, 2007년 作

①

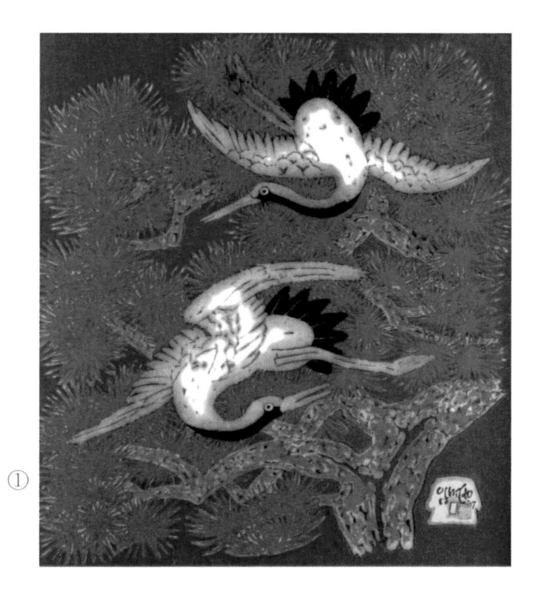

②

■ 隣(Rhin)-축원(祝願)/수처작주(髓處作主)

작품 "축원(祝願)"은 나라 안밖의 새해 소망을 기원하는 동시에 가정의 안위와 자자손손(子子孫孫) 번성과 축복을 염원(念願)하는 내용의 그림이다. 정초(正初) 장독대 근처 주변 볏짚으로 만든 김장독 저장 구조물 입구에 발원의 의미를 담은 깨끗한 한지(韓紙/소지(燒紙)를 새끼줄에 메어 단다.

또한 새벽에 정갈한 우물에서 맑은 정화수를 길러다가 장독위에 떠놓고 어머니께서 지극 정성으로 치성(致誠)을 드린다. "비나이다 비나이다 우리가족 모두 무탈하고, 우리나라에 그저 좋은 일만 가득하여 태평성대(太平聖代)를 이루기를 천지신명(天地神明)께 치성으로 비나이다!" 지금은 거의 사라졌지만 이런 관습(慣習)은 대대로 이어 온 우리의 미풍양속(美風良俗)이라 볼 수 있다.

"정화수 떠놓고 빈다는 말이 일러주고 있듯이 새벽의 맑음과 짝지어진 정화수의 맑음에 비는 사람의 치성의 맑음이 투영(投影)되는 것이다."라고 보면 좋을 것이다. 이른 새벽에 길러 온 맑은 우물물을 정화수(井華水) 혹은 정안수라 한다.

작품 "축원(祝願)"은 다름 아닌 것이며 오랫동안 전래되어 온 우리의 아름다운 전통문화 유산이라 할 수 있다.

① 隣(Rhin)-축원(祝願), 46.5×38.5cm, 한지, 먹, 채색, 1995년 作
② 수처작주(髓處作主) / 2024년 연하장/화두(話頭)

①

②

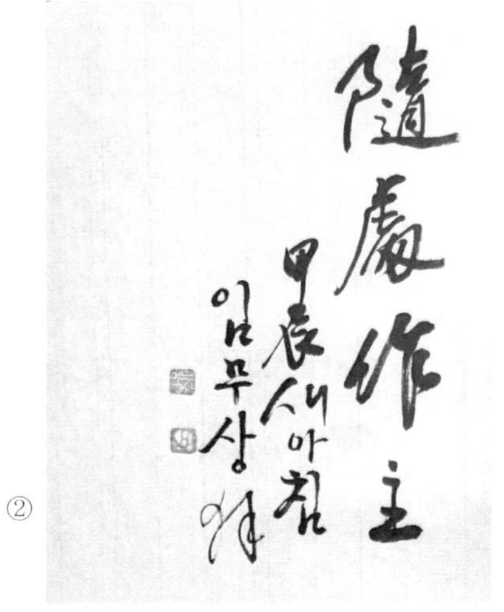

■ 隣(Rhin)-옛 이야기

작품 "옛 이야기"는 <임무상 그림산책 1권>에 이미 소개 된 작품이다. 지난날 어렸을 때 애틋한 추억이 많아 한번 더 다루기로 했다. 1권에서는 할아버지와 손자의 사랑방 얘기를 다루었다. 나의 조부께서는 내가 태어나기 전에 돌아가셨기 때문에 할아버지와의 기억은 없지만, 아버지와의 추억이 너무나 커서 "옛 이야기" 2탄을 쓰게 된 것이다.

유년시절부터 그림을 잘 그려 아버지의 사랑을 많이 받고 자랐다. 바깥채 사랑방에는 고서와 지필묵이 있었고 늘 아버지와 함께 생활했던 공간이었다. 오지마을이라 읍내 5일장에 나가시면 문방구에 들러 종이며 물감이며 잊지 않고 사오셨다. 밤이면 화롯불에 둘러앉아 정답게 밤(栗)이나 고구마를 구워 먹기도 하고 도란도란 옛날얘기를 들려주시며 부자지간의 노변정담(爐邊情談)으로 겨울밤은 깊어만 갔다. 세상 모든 아버지들이 자식 사랑이야 예나 지금이나 지극하지만 나는 내 아버지의 큰 사랑이 없었다면 오늘날 화가가 될 수 없었다. 당시 시대상으로나 가정형편으로나 화가의 꿈을 키우기란 불가능했음에도 불구하고 아버지께서 묵묵히 응원하시고 길을 열어주셨기 때문이다.

20여년 전 아버지께서 별세하신 후 오늘날까지 사부곡(思父曲)을 마음 깊이 새기며 아버지의 편안한 영면(永眠)을 기원하고 있다. 특히 겨울밤이면 아버지가 많이 보고 싶다. 유년시절 화롯불 옆에 둘러앉아 구수한 옛이야기를 들려주신 자상하셨던 아버지가 그립다. 실은 작품 "옛 이야기"는 그때의 아련한 추억을 회상하며 훈훈한 겨울밤의 정겨운 풍경을 작화(作畵)한 것이다. 오늘따라 집앞 울타리에 기대고 서 있는 감나무 가지에 걸린 만월(滿月)이 유난히 밝다.

□ 隣(Rhin)-옛 이야기, 58×68cm, 한지, 먹, 채색, 1994년 作

■ 隣(Rhin)-초저녁 /밤의 야상곡(夜想曲)

작품 "초저녁 /밤의 야상곡(夜想曲)"은 우리의 정서에 걸맞는 작품을 빚어내기 위한 일환으로 작업한 그림이다. 어느 사대부(士大夫)의 집 한 모퉁이를 소재로 하여 밤의 운취(韻致)를 담아 또 다른 심미감(審美感)을 표현해 보고자 함이다. 전통 무늬가 새겨져 있는 담장은 육중한 기와로 얹었고, 소슬대문 위에 뾰족한 철제 창(槍)살은 부유층 이미지를 부각시켰다. 처마 끝에 매달린 양반집에서만 있을 법한 풍경 같은 문고리 모양을 처마 끝에 매달았다.

높다란 사랑방 들창문의 고른 문살은 사대부집의 상징이며 농묵(濃墨)을 운용하여 밤의 적막감을 발현하였다. 교교한 밤의 정취(情趣)와 맞물려 오늘따라 초승달이 유난히 명징(明澄)하다. 하늘 바탕에 마티엘 느낌을 준 것은 어지러운 이 풍진(風塵) 세상을 비유하여 운필한 것이고, 궁극적으로 우주 만물은 항상 그대로 머물러 있지 않음을 은유(隱喩)적으로 표현한 것이다. 이러한 분위기를 만들어냄으로써, 화면 전체에서 오는 다소 무거운 감이 없잖아 있지만 리얼한 풍경을 소재로 작화(作畵)하여 부득이한 욕심이 있었던 것도 사실이다.

소쇄(瀟灑)한 밤의 정취는 언제나 신비롭고 많은 상념(想念)을 가지게 한다. 아름다웠던 추억들을 들추어내기도 하고 슬픔을 노래하기도 한다. 하지만 여기서는 순전히 한국적인 정서(情緒)와 미감(美感)을 얻기 위한 방편(方便)일 뿐이다.

□ 隣(Rhin)-초저녁 /밤의 야상곡(夜想曲), 82×68cm, 한지, 먹, 채색, 1999년 作

■ 隣(Rhin)-세월(歲月)

눈 뜨면 아침이고
돌아서면 저녁이고

월요일인가 하면
벌써 주말이고

월초인가 하면
어느새 월말이 되어 있습니다

세월이 빠른 건지
내가 급한 건지
아니면 삶이 짧아 진건지

거울 속에 나는 어느새 늙어 있고
마음 속의 나는 그대로인데
세월은 빨리도 갑니다

요즈음 유튜브에 떠도는 공감이 가는 글이라 모셔왔다. 세월부대인(歲月不待人)이란 말이 있다. 세월은 우리를 기다려 주지 않는다는 뜻이다. 어느 누구도 막을 수 없고, 속절없이 흘러가는 것이 세월(歲月)이다. 아름다운 추억을 수 놓기도 하고 슬픔을 노래하기도 한다. 삶의 교훈(敎訓)을 배우기도 하고 새로운 희망을 창조하기도 한다. 또한 세월은 멈추는 법이 없으므로 어제는 오늘이었고, 오늘은 어제의 내일이었다. 세월에 대한 담론(談論)은 관점에 따라 다를 수 있지만 세월 속에 세상이 있고 세상 속에 세월이 있는 것은 사실이다.

작품 "세월(歲月)"은 나름대로의 관조(觀照)와 상상을 돌출하여 구성한 작품이다. 인간의 희로애락을 전통탈에 비유하였고, 인간의 욕망은 하늘 높은 줄 모르므로 사다리를 하늘에 걸어놓았다. 큰 조각달은 세월의 표상이고 바탕에 떠 있는 수많은 티끌은 돌아가는 세월을 비유적으로 표현한 수레바퀴와 어우러져 이 풍진(風塵)세상을 대변(代辯)하고 있다. 따라서 세월은 인간과의 불과분의 관계임을 설정하고 그 상징성을 표현하기 위해 구성한 작품이다.

□ 隣(Rhin) - 세월(歲月), 55×70cm, 한지, 먹, 채색, 1990년 作

■ 隣(Rhin)-무상(無常)

이농후(離農後) 연작(連作)을 작화 하면서 제행무상(諸行無常)함을 절실히 느끼게 되었다. 삼라만상(森羅萬象)이 어느 하나 그대로 머물러 있는 것은 아무것도 없다. 큰 테두리(본질)에서 보면 변하는 것과 변하지 않는 것이 분명히 있다.

하지만 우리 시야(視野)에 잡히는 모든 현상(現象)은 변하게 마련이다. 생명(生命)을 가지고 있는 동, 식물은 물론이고, 무생물(無生物)까지도 풍상에 마모(磨耗)되고 낡고 허물어지게 마련이다.

작품 "무상(無常)"은 고사목(古死木)을 앞에 배치하고 이농후 폐가(廢家)가 된 농촌의 한 가옥의 삭막(索寞)한 분위기를 담아 구성한 작품이다. 조각달은 무심한 세월의 표상(表象)이고, 화면 전체에 흐르는 거칠은 마띠에르 운필은 다름아닌 이 풍진(風塵) 세상을 대변(代辯)한 것이다.

무상(無常)이란 "모든 현상은 계속하여 나고 없어지고 변하여 그대로인 것이 없음"이라고 정의(定義)하고 있다. 다시 말해서 우주(宇宙)에 있는 만물(萬物)은 항상 변화무쌍(變化無雙)하여 하나의 모양으로 머물지 않음을 말함이다.

그동안 몇 점의 무상을 주제로 작업을 했지만, 그중에도 이번 문경문화예술회관 특별전에 출품한 "무상(無常)" 작품이 가장 애정(愛情)이 가는 그림이다. 어느새 특별전(3주간)이 오늘이 마지막 날이다 보니, 보람과 아쉬움이 교차(交叉)하는 순간이다.

① 隣(Rhin)-무상(無常), 94×123cm, 한지, 먹, 채색, 1998년 作
② 문경문화예술회관 개관 30주년 기념 임무상특별전(23.9.1~9.21)

①

②

■ 隣(Rhin)-탈춤

탈춤은 가면(假面), 탈춤의상(衣裳), 동작과 재담(才談), 노래와 익살 등 매력적인 우리의 문화유산(文化遺産)이다.

작품 "탈춤"은 심오(深奧)한 몸짓에서 나오는 춤사위의 아름다움에 포커스를 맞추었다. 탈춤 소매 끝에 흥겨움이 묻어나는 날렵한 섬섬옥수(纖纖玉手)의 손짓에서 탈춤 선율(旋律)의 아름다움을 본다. 은은한 수묵(水墨)의 기운생동(氣韻生動)을 담은 운필(運筆)에서 발현되는 춤사위는 한층 담백(淡白)한 매력을 느낄 것이다.

탈춤은 짙은 해학(諧謔)과 풍자(諷刺)를 통한 시대적(時代的) 배경과 사회적(社會的) 배경을 아우르는 근대의 시민 의식을 표현(表現)하는데 그 의의(意義) 를 찾아볼 수 있으며, 따라서 한국의 정체성을 형성해온 전통문화(傳統文化)와 관습(慣習)을 엿볼 수 있을 것이다.

참고로 "탈춤이 오늘날과 같은 형태(形態)로 정착(定着)되기 시작한 것은 대략 조선 영조때 이후로 추정된다. 그러나 그 유래(由來)는 훨씬 이전일 것으로 생각된다. 부여의 영고(迎鼓), 고구려의 동맹과 같은 국중대회에까지 거슬러 올라가면 신에 대한 공연적(供演的) 성격의 무용 요소와 탈을 쓴 군중의 가무희(歌舞戲)가 있었다."라고 전하고 있다.

작품 "탈춤" 역시 문경문화예술회관 개관 30주년 기념 임무상 특별전에 출품하여 많은 사랑을 받았던 그림이다.

① 隣(Rhin)-탈춤, 60.5×68.5cm, 한지, 먹, 채색, 1998년 作
② 문경문화예술회관 개관 30주년 기념 임무상특별전(23.9.1~9.21)

①

②

## 작가 Profile

### 임무상 (林 茂 相, Lim, Moo-Sang)

경북 문경 출생

동국대학교교육대학원(미술교육전공)

개인전 28회(서울, 파리, 이태리 외)

2023 FOCUS LONDON 2023 (London, Saatchi Gallery / 영국)
2023 문경문화예술회관 개관 30주년 기념 임무상특별전 (문경, 문경문화예술회관 / 한국)
2021 山徑有無(산경유무)-한국,대만,중국 국제수묵교류전 (겸재정선미술관 / 한국)
2021 "나는 대한민국의 화가다" 기획초대전 (가평, 에코뮤지움 / 한국)
2020 小窓多明 개관기념 임무상초대전 (문경, Cultureum 小窓多明 / 한국)
2020 송하보월(松下步月)전 (이천시립월전미술관 / 한국)
2020 한국, 네팔 교류전 (고다와리시 말라왕조궁전 뮤지움 갤러리 / 네팔)
2019 울란바토르전 (Ulaanbaatar, Mongolian Theater Museum / 몽고)
2019 한국화원로작가100인초대전 (미술세계갤러리 / 한국)
2018 인사동마루갤러리개관초대전 (인사동마루갤러리 /한국)
2018 ACAF 2018/초대 (예술의전당 한가람미술관 / 한국)
2017 "THE PASSION" 개관6주년기념~동시대현대미술전 (양평군립미술관 / 한국)
2016 장은선갤러리 임무상초대전 (Seoul, 장은선갤러리 / 한국)
2015 정문규미술관기획초대전 (Ansan, 정문규미술관 / 한국)
2015 임무상 Bretagne 海松초대전 (Trégastel, La Salle Fontaine / 프랑스)
2015 CHENNAL CHAMBER BIENNALE (Lalit, Kala Akademi / 인도)
2014 United Gallery 임무상초대전 (Seoul, United Gallery / 한국 )
2014 MOUNTAIN PLANET 임무상초대전 (Grenoble, SAEN ALPEXPO / 프랑스)
2013 Villa Drachi MONTEGROTTO박물관개관초대전 (MONTEGROTTO / 이태리)
2013 임무상 이태리초대전 (Padova, Abano ARTissima Gallery / 이태리)
2013 임무상 파리초대전 (Paris, Selective Art Gallery / 프랑스)
2012 Art En Capital Paris Grande Palais (Paris / 프랑스)
2011 한전아트센터 갤러리초대전 (Seoul, KEPCO Art Center Plaza Gallery / 한국)
2010 China Korea Modern Art Fair (Peking, 798 Art center / 중국)

현재) Mizen Fine Art Paris, Hermance Genève 전속작가

홈페이지 : https://gallerysamgang.modoo.at/
블 로 그 : https://blog.naver.com/gallery_samgang